by Charles

temps a lai ssé son man teau de vent, de froidure et de pluie. Rivière, fontaine et

rui sseau portent en liv rée jo lie Gouttes d'ar gent d'or fêv re rie

Cha cun s'habille de nou veau Le temps n a lai ssé son man teau de

vent, de froidure, et de pluie.

THE HEINEMANN CREATIVE LANGUAGE SERIES
General Editor: Vernon Mallinson

CREATIVE FRENCH
BOOK THREE

THE CREATIVE LANGUAGE SERIES

CREATIVE FRENCH

BOOK THREE

by

VERNON MALLINSON

Illustrated by
Ian T. Morison

WILLIAM HEINEMANN LTD
MELBOURNE : : LONDON : : TORONTO

FIRST PUBLISHED 1952

PUBLISHED BY
WILLIAM HEINEMANN LTD.
99 GREAT RUSSELL STREET, LONDON, W.C.1
*Made in Great Britain. Printed at the St Ann's Press
Park Road, Altrincham*

PREFACE

THIS third and final volume of the Creative French Course aims in particular at introducing the pupil to representative French authors of merit, passages from whose works have been chosen both from the point of view of clarity and style as well as from the point of view of the appeal they can make to the average boy or girl of about fifteen years of age. It is naturally hoped that the underlying principles of the " creative " approach (enunciated and explained in the previous volumes) will be followed in the class treatment of these authors ; the pupils should be clamouring for more and seeking to read more widely and more representatively in the language ; and the wise guidance of the teacher and his friendly encouragement will be of the utmost importance.

As with Book Two, with which links are maintained through the Grammatical Summary and the introductory exercises " Voyons un peu! ", it is felt that there must again be rigid insistence on accuracy and constant drilling of verbs and speech patterns. The whole of the grammatical content of Books One and Two is thoroughly revised and augmented, not by any means exhaustively, but sufficiently to enable the pupil on completing the course to feel sure in his command of the language, and eager to go on using and perfecting the new skill that is now particularly his.

One final word. I have come increasingly to feel that the whole secret of success in language teaching lies in providing the *one* incentive that really matters to any pupil of any age : that of learning by trial and *success,* not by trial and error. Thus, the teacher's job is to organise success ; his duty to remember that the child is never wholly present when *we* teach, but that he is fully present when he teaches himself.

ACKNOWLEDGEMENTS

The author gratefully acknowledges his indebtedness to the following holders of copyright material :

The librarian of the *Comédie Française* for Plates III and IV ; Picture Post Library for all remaining plates ; and to the publishers or authors acknowledged after copyright extracts in the text.

In particular thanks are due to the *Librairie Gallimard* for poems of Guillaume Apollinaire, for the extracts from Jules Romains' " Knock ", from Vercors' " Silence de la Mer " and from the correspondence of Alain-Fournier and Jacques Rivière ; to the *Mercure de France* for two extracts from " Le Notaire du Havre " of Georges Duhamel, and for the poems by Francis Jammes and Tristan Klingsor ; to Fernand Nathan for the poem " Jeanne d'Arc " taken from Octave Aubert's " Le Livre Bleu et Rose " ; to the *Librairie Stock* for the extract from Paul Géraldy ; to *Delagrave* for " Les Deux Blessés " of Jean Aicard ; to Professors Closset and Desonay of the University of Liège for many helpful suggestions and emendations of the text ; to David Good who tried it all out ; to Mrs. H. F. Brookes, Mr. F. W. Moss, Mr. V. H. Taylor for constant criticism ; to A. R. Beal and Alan Hill for their usual careful attention to detail in matters of production ; to the many teachers and pupils who have made suggestions, most of which are now incorporated in the whole course.

VERNON MALLINSON

University of Reading,
    May 1952

TABLE DES MATIERES

LIST OF PLATES

GRAMMATICAL SUMMARY

I. L'Article Défini. LE, LA, L', LES.

Translates the English " the ".

Le livre est sur **le** pupitre —**Les** livres sont sur **les** pupitres
La balle est sur **la** table —**Les** balles sont sur **les** tables
L'élève Paul est intelligent —**Les** élèves sont intelligents

N.B. *" of the "*:
        Je parle **du** livre   —Je parle **des** livres
        Je parle **de la** balle   —Je parle **des** balles
        Je parle **de** l'élève   —Je parle **des** élèves

" to the ": Je vais **au** cinéma —Je vais **aux** cinémas
         Je vais **à la** gare —Je vais **aux** gares
         Je vais **à** l'école —Je vais **aux** écoles

II. L'Article Indéfini. UN, UNE, DES.

Translates the English " a ", " an ", " some ".

        J'ai **un** livre   —J'ai **des** livres
        J'ai **une** balle —J'ai **des** balles

N.B. *Omit the indefinite article*:

(a) *Before* cent *and* mille : cent hommes = *a* hundred men
                           mille livres= *a* thousand books

(b) *Before nouns in apposition*:
    Paris, grande ville = Paris, *a* big town.

(c) *After QUEL*: Quel dommage = what *a* pity.

1

(d) *After* sans *and* ni :

Paul est **sans** chapeau = Paul is without **a** hat.

Je n'ai **ni** père **ni** mère = I have neither father nor mother.

(e) *After* par *indicating TIME* :

trois fois *par* jour = three times *a* day.

deux fois *par* mois =   ?

cent francs *par* semaine =   ?

III. L'ARTICLE PARTITIF. DU, DE LA, DE L', DES.

Translates the English " some ", but remember that in English we often omit this word.

J'ai **du** pain, **de la** crème, **de** l'eau et **des** fruits.

Sur la nappe il y a **des** assiettes.

N.B. *The partitive article becomes DE* :

(a) *After a negative* :

J'ai **du** pain	—Je n'ai pas DE pain.
J'ai **de** l'eau	—Je n'ai pas D'eau.
J'ai **de la** viande	—Je n'ai pas DE viande.
J'ai **des** pommes	—Je n'ai pas DE pommes.

(b) *After an adverb of quantity* :

J'ai beaucoup DE pommes—**but**—j'ai BIEN DES pommes.

Combien DE pommes avez-vous?

J'ai assez DE pommes.

J'ai trop DE pommes.

J'ai plus DE douze pommes.

N.B. The following expressions :

J'ai un panier (plein) DE pommes.

J'ai un panier (rempli) DE pommes.

Un arbre couvert DE fruits.

Une tasse DE thé.

(c) *When the adjective PRECEDES the noun* :

J'ai mangé D'autres pommes.

Il y a DE belles pommes dans le panier.

IV. LE SUBSTANTIF.

The following table should assist you in most instances to deduce the gender of a noun from its ending.

Masculine.	Feminine.
(1) **-age:** le from**age** le vill**age**	*exceptions*: la cage, l'image, la nage, la page, la plage, la rage
(2) **-eau:** le bat**eau** le chât**eau** le cout**eau**	*exceptions*: l'eau, la peau (skin)
(3) **-eur:** le voyag**eur** le nag**eur** le fact**eur** *i.e.—when PERSONS are involved.*	(3) **-eur:** la coul**eur**, la p**eur** la doul**eur**, la chal**eur** *i.e.—ABSTRACT nouns.*
le bonh**eur** le malh**eur** *exceptions* l'honn**eur**	
exceptions: le cô**té** l'é**té** le trai**té**	(4) **-té, -tié:** la bon**té**, la moi**tié**.
exceptions: le lyc**ée** le mus**ée**	(5) **Vowel + " dead " e:** la rue, la vue, la joie, la pensée, une allée, une entrée, la sortie.
exceptions: le be**urre** le v**erre**	(6) **Vowel + double consonant + " dead " e:** la classe, la terre, la feuille.
exception: le roya**ume**	(7) **-me:** la ferme, la plume, la crème.

Masculine.	Feminine.
	(8) **-sion, -tion:** une occasion, la position, la natation.
exceptions: le cimetière le ministère	(9) **-ère:** la colère, la prière, la bière.
exceptions: le silence	(10) **-anse, -ense:** la danse, la défense **-ance, -ence:** la lance, la prudence.

N.B.   *Most trees are masculine*: le chêne, le peuplier.
       Most fruits/flowers are feminine: la rose, la pomme,
                                      la cerise.

V.   LES PRONOMS.
1. **Les Pronoms Personnels:**

SUBJECT	REFLEXIVE	D.O.P.	I.O.P.				
je		me	*me*				
tu		te	*te*				PAS
il, elle	NE	se	LE, LA	LUI	Y	EN	Verb JAMAIS
nous		nous	*nous*				RIEN
vous		vous	*vous*				etc.
ils, elles		se	LES	LEUR			

        Il ne m'en parle jamais.
        Tu ne lui y en as jamais parlé.
        Le lui a-t-il donné?
        Ne vous en a-t-il pas parlé?
        Ne s'y sont-ils pas couchés?

2. **Le Pronom Disjonctif:**

moi		nous
toi		vous
lui	soi (*indefinite*)	eux
elle		elles

It is used:

(a) *After a preposition*:

Je vais chez *moi*.
Je suis derrière *toi*.
On travaille chez *soi*.

(b) *To emphasise*:

Lui, il est stupide!
Moi, je ne le ferais pas!
Toi, tu as raison!

(c) *In a POSITIVE command*:

Donne-*MOI* le livre!
Lève-*TOI*!
Amusons-*NOUS*!

But, in the negative:

Ne *me* donne pas le livre!
Ne *te* lève pas!
Ne *nous* amusons pas!

(d) *In a comparison*:

Il est plus grand que *TOI*.
Je suis moins grand que *LUI*.
Il est aussi grand que *TOI*.
Il n'est pas si grand que *MOI*.

(e) *With* c'est:

C'est MOI qui parle
C'est TOI qui parles
C'est LUI qui parle
ELLE

C'est NOUS qui parlons
C'est VOUS qui parlez
Ce sont EUX qui parlent
ELLES

(f) *In one word answers to a question*:

Qui va là? MOI.
Qui ouvre la porte? LUI.

(g) *With different subjects to the same verb*:

MOI et LUI, nous irons à Paris.
Mon frère et TOI, vous y allez ce soir.
Paul et ELLE, ils viendront.

3.   When to use CE and when to use IL:

CE	IL (impersonal)

(1) Qu'est-**ce** que **c'**est?
C'est un paquebot; ——→
    (*Gender as yet unknown*)
	Il est grand et beau
	    (*Gender now known*)

(2) **C'**est aujourd'hui le 10 mars
    (*with dates*)
	Il est dix heures vingt
	    (*Time*)

(3) **C'**est amusant ⎫
    gai   ⎬ de jouer sur
    rigolo ⎭ la plage
    (*with adjectives*)
	Il fait beau temps
	Il fait du soleil
	Il fait du vent etc.
	    (*with weather*)

(4) **C'**est moi qui suis le premier
C'est vous qui arrivez en
    retard
    (*with pronouns*)	

(5) **C'**est mieux, ce que vous
    faites là
C'est là que j'ai vu un singe
    (*with adverbs*)	

(6) Taquiner le pauvre prof,
    c'est dangereux
    (*A statement can have no
    gender*)
	Il est dangereux de
	    taquiner le pauvre prof
	    (**Il** + est + adjective,
	    and THEN *the statement*)

(7) **C'**est à Saint-Malo que Paul
    passe ses vacances d'été
    (*For emphasis—instead of
    saying: Paul passe ses
    vacances d'été à Saint-Malo*)	

cf. **C'**est au son de cette belle fanfare que . . . Tartarin
    s'embarqua pour le pays des lions.

4. Le Pronom Possessif:

ADJECTIVE	PRONOUN	
mon, ma, mes	le mien,	les miens
	la mienne,	les miennes
ton, ta, tes	le tien,	les tiens
	la tienne,	les tiennes
son, sa, ses	le sien,	les siens
	la sienne,	les siennes
notre, notre, nos	le nôtre,	les nôtres
	la nôtre,	les nôtres
votre, votre, vos	le vôtre,	les vôtres
	la vôtre,	les vôtres
leur, leur, leurs	le leur,	les leurs
	la leur,	les leurs

Voici ton livre—c'est **le tien**
où est **le mien?**
prenez **le leur**
donnez-lui **le vôtre**

5. Le Pronom Démonstratif:

ADJECTIVE	PRONOUN
ce, cet	celui
cette	celle
ces	ceux
	celles

Regardez ces deux livres: **celui-ci** est vert, **celui-là** est rouge.
Regardez ces deux plumes: **celle-ci** est verte, **celle-là** est rouge.

N.B. The neuter form: **Ceci** est plus grand que **cela.**
Qu'est-ce que c'est que **cela?**
Qu'est **ceci?**

The following uses should be carefully drilled:

Voici ton livre, je prendrai CELUI de Paul = . . . I will take Paul's.

CELUI QUI mange beaucoup devient gros = He who eats a lot gets fat.

B

Je parlais de Paul et de Louis; *celui-ci* va à Paris, *celui-là* va à Toulouse.

celui-ci = the LATTER.
celui-là = the FORMER.

6. Le Pronom Relatif:

Subject of the verb: who, which	QUI (Persons and Things, Singular and Plural). L'élève QUI vient s'appelle Guy. Le livre QUI est sur la table est bleu. N.B. *Never* abbreviate QUI.
Direct Object: whom, which	QUE, QU' (Persons and Things, Singular and Plural). L'élève QUE je vois s'appelle Guy. Le livre QUE je lis est intéressant.
Genitive: whose, of whom, of which	DONT (Persons and Things, Singular and Plural). L'élève DONT je parle est intelligent. Le livre DONT j'ai besoin est sur la table. N.B. DONT can only be used when it refers back *directly* to its *preceding* noun. When DONT cannot be used, then use: DE QUI for persons, DUQUEL, DE LAQUELLE, DESQUELS, DESQUELLES, for things. e.g. La maison sur le toit DE LA-QUELLE est le chat = ... on the roof OF WHICH is the cat. L'élève à la cravate rouge DE QUI je viens de parler = the boy with the red tie OF WHOM I have just spoken. What would this sentence mean if you *had* used DONT? *Ce qui n'est pas clair n'est pas français!*

After a *preposition*:	QUI (Persons). LEQUEL etc. (Things). L'élève *à* QUI je parle s'appelle Guy. La table *sur* LAQUELLE je suis assis . . . Le crayon *avec* LEQUEL j'écris . . . N.B. Even here, it might be necessary to use LEQUEL, etc., instead of QUI —e.g. Je parle de la femme du prof, LA-QUELLE est malade. Discuss this.

The Neuter Relative Pronoun:

Subject: CE QUI n'est pas clair n'est pas français.

Direct Object: CE QUE vous dites est bête!

Genitive: CE DONT je parle est peu intéressant.

After a preposition: CE A QUOI je pense n'est pas intéressant.

7. Le Pronom Interrogatif:

Asks a question. Who? Whom? What?

	PERSONS.	THINGS.
Subject:	QUI va là? QUI est-ce qui va là?	QU'est-ce qui est sur la table?
Object:	QUI voyez-vous? QUI est-ce que vous voyez?	QUE voyez-vous? QU'est-ce que vous voyez?
Genitive:	DE QUI parlez-vous?	DE QUOI parlez-vous?
After a Preposition:	A QUI parlez-vous? Avec QUI venez-vous? Sur QUI comptez-vous? Devant QUI êtes-vous?	A QUOI pensez-vous? Avec QUOI écrivez-vous? Sur QUOI es-tu assis? Devant QUOI êtes-vous?

General Summary:

(a) The Interrogative Pronoun for Persons is ALWAYS QUI.

(b) The Interrogative Pronoun for Things is QUE, but after a preposition it becomes QUOI.

(c) Lequel, etc., means which (of two or more):
· LAQUELLE de ces plumes prenez-vous?
LESQUELS de ces élèves aimez-vous?

8. **Le Pronom Indéfini:**

(1) **ON:** **On** a fermé la porte.
On dit que Paul est intelligent.

Used ONLY in the third person singular.

(2) **PERSONNE ... NE:** Je n'ai vu **personne.**
(*Nobody*) **Personne** n'est là.
Personne ne me parle à l'école.

(3) **NE ... RIEN:** **Rien ne** m'est arrivé.
(*Nothing*) Je n'ai **rien** vu.
Rien de bon = *nothing good.*

(4) **QUELQUE CHOSE:** **Quelque chose** de bon = *something good.*
(*Something*)
Dites-moi **quelque chose** en français!

(5) **QUELQU'UN:** **Quelqu'un** m'a dit que Paul est là.
(*Someone*) **Quelqu'un,** veut-il m'aider?

N.B. **Quelques-uns/unes** des élèves sont intelligent(e)s = *Some of the pupils are intelligent.*

(6) **TOUT LE MONDE:** **Tout le monde** dit que je suis intelligent.
(*Everybody*)
Tout le monde travaille bien.

Used ONLY in the third person singular.

(7) **TOUT:** Il m'a **tout** raconté.
(*Everything*)

VI. LES ADJECTIFS :

An adjective must always agree with its noun in NUMBER and GENDER :

la lune est **ronde** et **claire**
ces **belles** pommes **vertes**

N.B.   sa belle maison = his/her fine house
son beau crayon = his/her fine pencil

Normally, you add an " e " to make an adjective feminine, and an " s " to make it plural.

1. Adjectives with TWO masculine forms:

Masculine	Feminine
beau, bel	belle (beautiful, fine)
ce, cet	cette (this)
fou, fol	folle (mad)
mou, mol	molle (soft)
nouveau, nouvel	nouvelle (new)
vieux, vieil	vieille (old)

2. Adjectives with irregular feminines:
(excluding the above)

bas	(low)	basse
blanc	(white)	blanche
bon	(good)	bonne
doux	(sweet, soft)	douce
épais	(thick)	épaisse
faux	(false)	fausse
frais	(fresh)	fraîche
franc	(frank)	franche
gras	(fat)	grasse
gros	(huge)	grosse
heureux	(happy)	heureuse
long	(long)	longue
sec	(dry)	sèche
sot	(foolish)	sotte

3. **Plurals of nouns and adjectives:**

  (a) **-s, -x, -z: no change.**   les nez, les noix, les Français.
                      des nez gras et gros.
  (b) **-eau** becomes **-eaux:**   les beaux châteaux.
  (c) **-al becomes -aux:**   le cheval—les chevaux.
  (d) The following seven nouns ONLY, ending in **-ou,** take
       the plural in **-oux:**

                 les bij**oux** (jewels)
                 les caill**oux** (pebbles)
                 les ch**oux** (cabbages)
                 les gen**oux** (knees)
                 les hib**oux** (owls)
                 les jouj**oux** (playthings)
                 les p**oux** (lice)
       All these nouns are *masculine.*

  (e) Note the following peculiar plurals:
       ce, cet, cette   **ces**
       le ciel   les **cieux**
       un oeil   des **yeux**
       tout   **tous**
       monsieur   **mes**sieurs
       madame   **mes**dames
       mademoiselle   **mes**demoiselles

4. **Position of the adjective:**

    Nine times out of ten, AFTER its noun:

                 Une pomme **verte**
                 Un professeur **intelligent**
                 Un élève **stupide**

  (a) *Must come AFTER the noun*:
       All adjectives of COLOUR, SIZE, SHAPE—
                 Une table **ronde**
                 Une gomme **carrée**
                 Deux yeux **bleus**

(b) *Must come BEFORE the noun*:
    Adjectives of number—**trois** élèves
                      la **troisième** jeune fille

    Short or common adjectives—une **autre** histoire
                         un **beau** soleil
                         un **grand** élève
                         un **gros** livre
                         une **jolie** fleur
                         un **long** nez
                         un **jeune** professeur
                         un **petit** élève
                         une **vieille** chanson

    Adjectives that really add no further meaning—
        un **brave** soldat (you expect a soldier to be brave)
        un **célèbre** château de la Loire
        la **pauvre** victime (obviously he is poor, in the sense to be pitied)
        un **savant** professeur (obviously a teacher is learned!)

5. **Comparison of the adjective:**
        Je suis grand.
        Je suis **plus grand** que Paul.
        Paul est **moins grand** que moi.
        Je suis **le plus grand** élève de la classe.

Note, however, that the following adjectives compare irregularly:

	Comparative.	*Superlative.*
bon	meilleur	le meilleur
mauvais	pire	le pire
petit	moindre	le moindre

N.B. **premier, dernier** and **seul** are classed as superlative forms.

AS . . . . . . AS: Il est **aussi grand** que moi.
Il n'est pas **si grand que** moi.
Il est grand **comme** un loup, ce chien.
Ce gâteau est dur **comme** de la pierre.

AS MANY AS: J'ai **autant de** pommes que toi.
Il n'a pas **tant de** pommes que moi.

6. **Adjectives of number:**

1	Un livre, une plume	11	onze plumes
2	deux livres	12	douze plumes
3	trois livres	13	treize plumes
4	quatre livres	14	quatorze plumes
5	cinq livres	15	quinze plumes
6	six livres	16	seize plumes
7	sept livres	17	dix-sept plumes
8	huit livres	18	dix-huit plumes
9	neuf livres	19	dix-neuf plumes
10	dix livres	20	vingt plumes

21	*vingt* **et** un(e)	31	*trente* **et** un(e)
22	*vingt*-deux etc.	32	*trente*-deux etc.
41	*quarante* **et** un(e)	51	*cinquante* **et** un(e)
42	*quarante*-deux etc.	52	*cinquante*-deux etc.

61 *soixante* **et** un(e)
62 *soixante*-deux etc.

70	*soixante*-dix	80	*quatre-vingt***s**
71	*soixante* **et** onze	81	*quatre-ving***t**-un(e)
72	*soixante*-douze	82	*quatre-vingt*-deux
73	*soixante*-treize etc.	83	*quatre-vingt*-trois etc.

90 *quatre-vingt*-dix
91 *quatre-vingt*-onze
92 *quatre-vingt*-douze etc.

100 *cent*
101 *cent* un(e)

200	deux *cents*
203	deux *cent* trois

1000	*mille*
2000	deux *mille*
2649	deux *mille* six cent quarante-neuf

N.B. quatre-vingts ⎫ *The " s " is dropped when another*
        deux cents ⎬ *number follows.*
        deux mille   *NEVER an " s ".*

1st	premier, première	6th	sixième
2nd	deuxième (second, seconde)	7th	septième
3rd	troisième	8th	huitième
4th	quatrième	9th	neuvième
5th	cinquième	10th	dixième

11th	onzième
12th	douzième
13th	treizième
14th	quatorzième
15th	quinzième

i.e. *always omit the " e " before the following " i ".*

21st	vingt et unième
22nd	vingt-deuxième, etc.
last =	dernier, dernière
	derniers, dernières

" ABOUT " NUMBERS :

It is very easy to convey the idea of " about " in giving a number, when you are not quite sure of the exact number :

J'ai dix poules, BUT, *j'ai* UNE DIZAINE DE *poules* (I have ABOUT TEN HENS).

J'ai douze pommes——*J'ai* UNE DOUZAINE DE *pommes.* Thus, you see where we get our English word *dozen.*

You can only use this form with certain numbers :

    8. Une huitaine de jours = *about a week.*
   10. Une dizaine de jours = *about* ?

12. Une douzaine de pommes = *about* ?
15. Une quinzaine de jours = *about* ?
20. Une vingtaine de . . . .
30. Une trentaine de . . . .
40. Une quarantaine de . . . .
50. Une cinquantaine de . . . .
60. Une soixantaine . . . .
100. Une centaine de . . . .

With other numbers you use the word *environ* (about):
J'ai fait ENVIRON *vingt-trois fautes dans mon devoir!*

VII.   TIME, DATES, AGE, MEASUREMENT.

1. **Time:**

Quelle heure est-il?   Il est une heure
                  Il est deux heures   etc.

                  Il est midi
                  Il est minuit

                  Il est deux heures cinq
                  Il est deux heures **moins** cinq

moins le quart   et quart
(il est neuf heures   (il est deux heures
 moins le quart)   **et quart)**

           et demi(e)
           (il est trois heures et demie—
           il est midi et demi
           il est minuit et demi)

N.B.   *Half an hour* = une demi-heure.
      One hour and a half = une heure et demie.

2. **Dates:**

      lundi,   mercredi,   vendredi,
      mardi,   jeudi,   samedi,   dimanche.

      janvier, mars, mai, juillet, septembre, novembre,
      février, avril, juin, août, octobre,   décembre.

AU printemps,   EN automne,
EN été,   EN hiver.

Quel jour est-ce aujourd'hui? C'est aujourd'hui lundi.

Le combien { est-ce
            { sommes-nous aujourd'hui? Nous
                sommes le premier février—*or,*

C'est aujourd'hui le premier février, mil neuf cent cinquante et un.

le **premier** septembre
le deux septembre
le trois septembre, etc., etc. What is the rule?

Also:

Charles **premier**   Georges **premier**
Charles deux   Georges six

N.B.   **ON** Monday = lundi—lundi j'irai au cinéma.

3. **Age:**

Quel âge **avez**-vous? **J'ai** quinze ans.
Quel âge **a**-t-il? Il **a** une quinzaine d'années.
                Il **a** environ vingt-trois ans.

N.B.   The **age** of Louis XIV = le **siècle** de Louis Quatorze.

4. **Measurement:**

La salle à manger **a** dix mètres **de long sur** sept mètres **de large sur** quatre mètres **de haut.**

Cette rivière **a** trois mètres **de profondeur.**

You may also say: La salle à manger est longue de dix mètres, large de sept mètres, haute de quatre mètres.

Distance away from is always expressed by **à** :

Notre maison est **à** dix milles de l'école.

VIII. L'ADVERBE.

1. **Formation:**

As in English, many adverbs in French are formed from the corresponding adjective: happy—happily, sad—sadly.

(a) heureux—heureuse = **heureusement**
    triste   —triste   = **tristement**
  i.e. Add **-ment** to the feminine form of the adjective.

(b) patie**nt** = patie**mment**
    évide**nt** = évide**mment**
    consta**nt**=consta**mment**
i.e. Change the **-ant** or **-ent** of the adjective into **-amment** or
                           -emment.

exceptions: lentement, présentement.

(c) Certain adverbs formed from the feminine of the adjec-
    tive take **-é** to avoid an ugly sound:

aveuglément (blindly)   conformément (suitably)
communément (commonly)   obscurément (obscurely)
confusément (confusedly)   précisément (precisely)
énormément (enormously)   profondément (deeply)

(d) If the adjective ends in a vowel in the masculine form,
    then the feminine **-e** is not added:
                  joli = joliment
                  vrai= vraiment

(e) Certain adjectives are used as adverbs without any
    change from their masculine singular form:
            parler **bas** (to speak softly)
            parler **haut** (?   )
            chanter **faux** (to sing out of tune)
            chanter **juste** (?   )
            coûter **cher** (to cost dearly)
            parler **net** (to speak plainly)
            sentir **bon** (to smell good)
            sentir **mauvais** (?   )

    N.B. **vite** NEVER changes.

(f) The following common adjectives form the adverb
    irregularly:
                  bon—**bien** (well)
              mauvais—**mal** (badly)
                 petit—**peu** (little)

2. **Position of the adverb:**

  Comes immediately AFTER the verb:

    Paul a **très bien** travaillé.
    attendant **patiemment** leur train.
    le train file **vite.**

N.B. Adverbs of **time** and **place**—and also long or qualified adverbs come after the past participle in a compound tense:—

    il a fumé **paisiblement** la pipe.
    je l'ai vu **hier**.
    je l'ai trouvé **dehors**.

3. **Comparison of the adverb:**

      moins
  Paul travaille aussi facilement que nous.
      plus
  Elle travaille **le plus facilement** de nous tous—

N.B. As we are using an adverb the superlative **le plus** never changes gender.

 The following adverbs—see 1 (f) above—compare irregularly:

	comparative	*superlative*
bien	mieux	le mieux
peu	moins	le moins
beaucoup	plus	le plus

 Il travaille **bien.** Il travaille **mieux** que moi. Elles travaillent **le mieux** possible.
 Il travaille **peu.** Il travaille **moins** que nous. Il travaille **le moins** possible.
 Il travaille **beaucoup.** Il travaille **plus** que nous. Elle travaille **le plus** possible.

Il ne s'inquiète pas **le moins** du monde du temps qu'il fait.
Il a eu **plus** peur que nous.

IX. LE VERBE.
*A verb is a " doing " word—the backbone of the sentence.
It is therefore most important to be really familiar with its
formation and use. The various tenses you have so far learned
are listed below. You should also consult the alphabetical list
of irregular verbs to be found on pages 204–211 of this present
book.*

1. **The Present Tense:**
To form this tense you need the **present participle** of the
verb:

donner	—donn**ant** (giving)
finir	—fin**issant** (finishing)
vendre	—vend**ant** (selling)
recevoir	—recev**ant** (receiving)

(a) **-er verbs:** donner—donn**ant**

je DONN -e
tu DONN -es
il DONN -e
nous DONN -o**n**s
vous DONN -ez
ils DONN -ent

N.B.   The verbs *ouvrir, couvrir, offrir* are conjugated in the
present tense as if they were *-er* verbs.

(b) **All other verbs:**

vend**ant**			finissant		
	je VEND	-s		je FINI(SS)	-s
	tu VEND	-s		tu FINI(SS)	-s
	il VEND	(-t)		il FINI(SS)	-t
	nous VEND	-ons		nous FINISS	-ons
	vous VEND	-ez		vous FINISS	-ez
	ils VEND	-ent		ils FINISS	-ent

recev**ant**	je REÇOI	**-s**
	tu REÇOI	**-s**
	il REÇOI	**-t**
	nous RECEV	**-ons**
	vous RECEV	**-ez**
	ils REÇOIV	**-ent**

Thus, the endings of the Present Tense are:

-er verbs: **-e, -es, -e, -ons, -ez, -ent.**
others: **-s, -s, -(t), -ons, -ez, -ent.**

(c)   -er verbs with certain irregularities:

se lever	*s'appeler*
je me lève	je m'appelle
tu te lèves	tu t'appelles
il se lève	il s'appelle
nous nous levons	nous nous appelons
vous vous levez	vous vous appelez
ils se lèvent	ils s'appellent

(e + consonant + mute e = è)

Other verbs going like this are:
acheter, geler, mener, peser, préférer, répéter.

(Before a mute " e " double the consonant)

Other verbs going like this are:
jeter, épeler, étinceler, renouveler.

essuyer
j'essuie
tu essuies
il essuie
nous essuyons
vous essuyez
ils essuient

(" y " becomes " i " before a mute " e ")
Other verbs going like this are:
effrayer, ennuyer, envoyer, essayer, flamboyer, payer.

commencer	*manger*
je commence	je mange
tu commences	tu manges
il commence	il mange
nous commençons	nous mangeons
vous commencez	vous mangez
ils commencent	ils mangent

Other verbs going like this are: *annoncer, froncer, lancer*.

Other verbs going like this are: *allonger, nager, partager, plonger, ronger*.

RULE:

    ç before "a", "o", "u".   ge before "a", "o", "u".

2. The Imperative:

" Mettez-vous au travail!"

(Tu) prends	——*take!* (*singular*)	Ne prends pas
(Nous) prenons	——*let us take!*	Ne prenons pas
(Vous) prenez	——*take!* (*plural*)	Ne prenez pas

N.B. *With an -er verb we must also knock off the* s *of the second person singular* (tu):

    (Tu) va(s) —va à l'école! (*Go to school!*)

        Ne va pas à l'école!

BUT we say: { vas-y
va-t'en

With reflexive verbs:

    Tu te lèves —lève-toi!   —BUT: ne te lève pas!

Nous nous levons—levons-nous!—BUT: ne nous levons pas!

Vous vous levez —levez-vous! —BUT: ne vous levez pas!

The Imperative form of avoir *and* être:

avoir		**être**	
aie		sois	Sois sage, Paul!
ayons		soyons	
ayez	Ayez pitié de moi!	soyez	

3. The Imperfect Tense:

This is a very useful past tense, and it often translates the English " used to " or " was ". It is mainly used in *describing* somebody or something :

Il **avait** de gros traits, un gros nez, de gros yeux.
Le drôle **avait** toujours un bâton à la main.
Le professeur **portait** (was *wearing*) une cravate jaune.
Il **faisait** beau hier (*It was fine yesterday*).
Quand **j'étais** (was) petit **j'allais** (*I* used to *go*) au cinéma deux fois par semaine.

Formation of the Imperfect Tense:

It is very easy to form this tense. Take the " nous " form of the present tense, strike off the " -ons " and add the endings :

nous parlons	je PARL **-ais** (I **was** speaking)
nous ouvrons	tu OUVR **-ais** (You **were** opening)
nous finissons	il FINISS **-ait** (He **was** finishing)
nous prenons	nous PREN **-ions** (We **were** taking)
nous écrivons	vous ECRIV **-iez** (You **were** writing)
nous avons	ils AV **-aient** (They HAD)

The ONLY irregular verb is *être:*   J'ETAIS (I was)
TU ETAIS
IL ETAIT
NOUS ETIONS
VOUS ETIEZ
ILS ETAIENT

4. The Present Subjunctive:

Formation:

This is quite simple—take the Present Participle STEM, and add the endings : -e, -es, -e, -ions, -iez, -ent.

C

Parler (Parlant)		*Finir* (Finissant)
que je PARL-e	**que**	je FINISS-e
tu PARL-es		tu FINISS-es
il PARL-e		il FINISS-e
nous PARL-ions		nous FINISS-ions
vous PARL-iez		vous FINISS-iez
ils PARL-ent		ils FINISS-ent

Vendre (Vendant)

que je VEND-e
tu VEND-es
il VEND-e
nous VEND-ions
vous VEND-iez
ils VEND-ent

NOTES:

(a) You will see that the endings are really a mixture of *-er Present Tense* endings, and of *Imperfect* tense endings.

(b) Thus, in certain persons of *-er* verbs (*je, tu, il, ils*) it is not possible to see at a glance whether the tense is Present Indicative or Present Subjunctive.
Nor can you tell with many verbs whether the *nous* or *vous* is Imperfect tense or Present Subjunctive.

(c) You NEVER get the Subjunctive in a subordinate clause *unless* it has been preceded by the little word **que!**

(d) Many Present Subjunctive forms are *irregular*. Consult the alphabetical list of irregular verbs on pages 204–211.

When to use the Subjunctive:

(a) *In the third person imperative*: **Qu'il vienne** (let him come!)! **Qu'il sorte** (Let him go out!)! **Vive le roi!**

(b) *After the impersonal verb*—IL FAUT QUE

(c)   *With verbs expressing* WISH, WILL, COMMAND:
    Je veux qu'il **sorte**
    J'ordonne que tu **viennes**
 Of course, this is again an imperative.

(d)   *With any verbal expression indicating an emotion*:
    Je suis heureux qu'il **soit** ici.
    Je suis triste qu'il ne **vienne** pas.
    Je suis fâché que Paul ne **sache** pas sa leçon.

5.   The Present Participle:

All the above tenses are formed using the present participle
to give the stem.

Remember that though the present participle has sometimes
adjectival force it is really a verb and therefore does *not* agree
as an adjective would.

The most common use of the present participle is with EN,
and it then means WHILST or BY doing something:

Ah! soupira Paul EN ECOUTANT cette triste histoire (Ah!
sighed Paul **whilst listening to** this sad story).

EN OUVRANT la porte j'ai perdu ma place dans la file
(**By opening** the door I lost my place in the queue).

6.   The Future Tense:

*This is very simple: take the INFINITIVE of the verb and
add the endings:*

je MANGER -ai	je PRENDR -ai	
-as	je LIR -ai	
-a	je VENDR -ai	
-ons		*i.e. the* e *of the In-*
-ez		*finitive drops before*
-ont		*another vowel.*

N.B. Quite a number of future tenses are irregular and should
   be learned from the verb table to be found on pages
   204–211.

7. The Conditional:

This very useful tense is usually translated by " should " or " would ". It is very simple indeed to form : you merely take the FUTURE stem and add on to it the *IMPERFECT* endings:

parler		*être*	
je PARLER	- **ais**	je SER	- **ais**
tu	- **ais**	tu	- **ais**
il	- **ait**	il	- **ait**
nous	- **ions**	nous	- **ions**
vous	- **iez**	vous	- **iez**
ils	- **aient**	ils	- **aient**

avoir		*voir*	
j'AUR	- **ais**	je VERR	- **ais**
tu	- **ais**	tu	- **ais**
il	- **ait**	il	- **ait**
nous	- **ions**	nous	- **ions**
vous	- **iez**	vous	- **iez**
ils	- **aient**	ils	- **aient**

Si j'étais riche **j'aurais** une belle auto. **J'irais** en été tous les mois au bord de la mer et je **prendrais** avec moi quelques amis. Nous **nagerions** deux fois par jour. Nous nous **promènerions** sur la digue. Nous **mangerions** beaucoup de glaces. S'il faisait mauvais temps nous **irions** sans doute deux fois par jour au cinéma. Ah! si seulement j'étais riche! Je **serais** si heureux!

8. The Past Historic Tense:

Used for telling a story in the past. See pages 39–40 of this book to know when exactly you must use the Past Historic Tense, and when the Imperfect Tense.

Parler.		*Finir.*	
je PARL-	**ai**	je FIN-**is**	
tu PARL-	**as**	tu FIN-**is**	
il PARL-	**a**	il FIN-**it**	
nous PARL-	**âmes**	nous FIN-**îmes**	
vous PARL-	**âtes**	vous FIN-**îtes**	
ils PARL-	**èrent**	ils FIN-**irent**	

Attendre.	*Recevoir.*
j'ATTEND-**is**	je REÇ-**us**
tu ATTEND-**is**	tu REÇ-**us**
il ATTEND-**it**	il REÇ-**ut**
nous ATTEND-**îmes**	nous REÇ-**ûmes**
vous ATTEND-**îtes**	vous REÇ-**ûtes**
ils ATTEND-**irent**	ils REÇ-**urent**

GENERAL SUMMARY:

-ER VERBS:	**-ai, -as, -a, -âmes, -âtes, -èrent.**
-IR and -RE VERBS:	**-is, -is, -it, -îmes, -îtes, -irent.**
-OIR VERBS:	**-us, -us, -ut, -ûmes, -ûtes, -urent.**

N.B. Many Past Historic forms are irregular and should be learned from the verb table to be found on pages 204–211.

9. The Compound Tenses:

These are formed by conjugating the PAST PARTICIPLE of the verb with *either* AVOIR *or* ÊTRE.

The Past Participle is obtained as follows:

donner	——	**donné** (given)
finir	——	**fini** (finished)
vendre	——	**vendu** (sold)
recevoir	——	**reçu** (received)

Many are irregular and must be learned from the verb table to be found on pages 204–211.

Most verbs are conjugated with AVOIR.

All reflexive verbs are conjugated with ÊTRE.

A very few verbs, all intransitive, and connected in some way with motion, are conjugated with ÊTRE. These are:

aller:	je suis allé au cinéma
arriver:	elle est arrivée à neuf heures
venir:	nous sommes venus sans lui
partir:	ils sont partis pour Paris
entrer:	nous sommes entrés dans la classe

sortir:	elle est sortie de l'école
monter:	elle est montée (she has gone up)
descendre:	nous sommes descendus (we have come down)
rester:	nous sommes restés à la maison
tomber:	la balle est tombée par terre
mourir:	elle est morte à Paris
naître:	elle est née à Londres

(a) Ageement of the past participle:

When the verb is conjugated with *être* the past participle agrees with the **subject**—cf. all the examples printed above.

When the verb is conjugated with *avoir* the past participle agrees with the PRECEDING DIRECT OBJECT:

┌────P.D.O.────┐
la pomme QU'il a mangée
les enfants QUE nous avons vus à l'école
combien de LIVRES avez-vous achetés ?

When the verb is *reflexive,* the past participle is conjugated with *être*, BUT it agrees with the PRECEDING DIRECT OBJECT:

┌────P.D.O.────┐
elles **se** sont levées

┌────P.D.O.────┐
nous **nous** sommes couchés à huit heures

┌────P.D.O.────┐
nous **nous** sommes lavés

BUT nous nous sommes lavé **les mains** (the direct object comes AFTER the verb)

(b) The Perfect Tense (I have spoken, I spoke):

j'**ai** parlé	nous **avons** parlé
tu **as** parlé	vous **avez** parlé
il **a** parlé	ils **ont** parlé

Used for conversation. It is formed by conjugating the past participle with the PRESENT TENSE of *avoir* or *être*.

je **suis** sorti	nous **sommes** sortis
tu **es** sorti	vous **êtes** sortis
il **est** sorti	ils **sont** sortis

(c)   **The Pluperfect Tense** (I **had** spoken):

j'**avais** parlé	j'**étais** sorti
tu **avais** parlé	tu **étais** sorti
il **avait** parlé	il **était** sorti
nous **avions** parlé	nous **étions** sortis
vous **aviez** parlé	vous **étiez** sortis
ils **avaient** parlé	ils **étaient** sortis

(d)   **The Future Perfect Tense** (translates SHALL HAVE):

j'**aurai** fini mes devoirs	je **serai** allé au cinéma
tu **auras** fini . . .	tu **seras** allé . . .
il **aura** fini . . .	il **sera** allé . . .
nous **aurons** fini . . .	nous **serons** allés . . .
vous **aurez** fini . . .	vous **serez** allés . . .
ils **auront** fini . . .	ils **seront** allés . . .

(e)   **The Conditional Perfect** (translates SHOULD HAVE):

j'**aurais** fini mes devoirs	je **serais** allé au cinéma
tu **aurais** fini . . .	tu **serais** allé . . .
il **aurait** fini . . .	il **serait** allé . . .
nous **aurions** fini . . .	nous **serions** allés . . .
vous **auriez** fini . . .	vous **seriez** allés . . .
ils **auraient** fini . . .	ils **seraient** allés . . .

Summary of Rules:

> The **Perfect** Tense is formed with the *Past Participle* and the PRESENT Tense of *avoir* or *être*.

> The **Pluperfect** Tense is formed with the *Past Participle* and the . . . Tense of *avoir* or *être*.

The **Future Perfect** Tense is formed with the *Past Participle* and the . . . Tense of *avoir* or *être*.

The **Conditional Perfect** is formed with the *Past Participle* and the . . . Tense of *avoir* or *être*.

10. VERB CONSTRUCTIONS.

(1) *" Plus" and " Minus" verbs* :

(a) *Preposition needed in French* :

Je m'approche **de** Paul	s'approcher **de**
J'entre **dans** la salle	entrer **dans**
Je joue **au** football	jouer **à** (games)
Je joue **du** piano	jouer **de** (music)
Paul obéit **au** professeur	obéir **à**
Paul désobéit **au** prof	désobéir **à**
Je permets **à** Paul de sortir	permettre **à**
Paul plaît **au** professeur	plaire **à**
Paul ressemble **au** prof	ressembler **à**
Paul se saisit **d'**un livre	se saisir **de**
Paul se souvient **du** prof	se souvenir **de**

(b) *Preposition needed in English* :

J'attends le prof	**attendre** (to wait FOR)
Je m'assieds	**s'asseoir** (to sit DOWN)
Je cherche mon livre	**chercher** (to look FOR)
Je demande une glace	**demander** (to ask FOR)
Je descends	**descendre** (to go DOWN)
J'écoute Paul	**écouter** (to listen TO)
J'emporte le livre	**emporter** (to carry OFF)
Je fuis le prof	**fuir** (to flee FROM)
Je me lève à six heures	**se lever** (to get UP)
Je mets mes gants	**mettre** (to put ON)
Je monte	**monter** (to go UP)
J'ôte mes gants	**ôter** (to take OFF)
Je partirai demain	**partir** (to go AWAY)
Je paie ma glace	**payer** (to pay FOR)

Je ramasse le livre	**ramasser** (to pick UP)
Je regarde le livre	**regarder** (to look AT)
Je renverse les fleurs	**renverser** (to UPset)
Je sors à six heures	**sortir** (to go OUT)

(2) *Verb + à + Infinitive*:

Il s'amuse **à** parler	**s'amuser à**
Il apprend **à** nager	**apprendre à**
J'ai **à** travailler	**avoir à**
Il cherche **à** venir	**chercher à**
Il commence **à** comprendre	**commencer à**
Je continue **à** chercher	**continuer à**
Je me décide **à** venir	**se décider à**
J'hésite **à** le faire	**hésiter à**
Il se met **à** travailler	**se mettre à**
Il renonce **à** le faire	**renoncer à**
Il réussit **à** le faire	**réussir à**
Il tarde **à** venir	**tarder à**
Il tient **à** le faire	**tenir à**

(3) *Verb + de + Infinitive*:

J'ai envie **de** rire	**avoir envie de**
Je m'arrête **de** parler	**s'arrêter de**
Je décide **de** venir	**décider de**
Il demande **de** venir	**demander de**
Il a éclaté **de** rire	**éclater de**
Il essaie **de** le faire	**essayer de**
Je l'empêche **de** venir	**empêcher de**
J'ai fini **de** travailler	**finir de**
J'ai oublié **de** le faire	**oublier de**
Il a refusé **de** sortir	**refuser de**
Il tâche **de** le faire	**tâcher de**
Je viens **de** l'ouvrir	**venir de**

VOYONS UN PEU !

I. Lui et moi, nous $\begin{cases} \text{allons} \\ \text{irons } \textbf{au} \text{ cinéma.} \\ \text{sommes allés} \end{cases}$

Completez ainsi :

Elle et toi . . . faire une promenade.
Lui et vous . . . venir à pied.
Elle et lui . . . acheter des bonbons.
Toi et moi . . . vouloir sortir.
Elles . . . pouvoir nager dans le lac.

II. blanc blanche blanchir

(a) *Formez ainsi des verbes avec les adjectifs suivants* :
grand, pâle, vieux, jaune, rouge, mûr, gros, maigre, épais, brun.

(b) *Trouvez les adjectifs dans les verbes que voici* :
noircir, rajeunir, adoucir, allonger, bavarder, chauffer, hausser, fortifier, se lasser, verdir.

(c) *Complétez les phrases suivantes à l'aide de verbes convenables* :

Il a —— les épaules sans rien dire.
Elle —— toujours quand je lui parle.
Il a vite fait —— l'eau.
Il a —— de plus de vingt ans.
Les fruits —— tard en Angleterre.
Il s'est —— dans le fauteuil.
Elle a —— en voyant s'approcher ce chien féroce.
J'ai —— de plus de trois kilos.
Elle a beaucoup —— mais elle n'a rien dit.
C'est au printemps que les prairies ——.

III. *Donnez le contraire des mots et des expressions suivants et faites-les entrer dans des phrases différentes* :
de bonne heure, sortir, en été, descendre, dernier, il

fera chaud, l'arrivée, lentement, heureux, avoir raison, avoir froid, faire venir, vendre, emprunter, il fait jour, être en retard, un peu, souvent, ôter, hier.

IV. *Ecrivez un paragraphe comique en y faisant entrer le plus possible des expressions données ci-dessus.*

V. *Complétez les phrases suivantes* :

        Je suis heureux que . . .
        J'ordonne qu'il . . .
        Elle veut que je . . .
        Qu'il . . . ses devoirs !
        Il faut que tu . . . demain.
        . . . le roi !
        Nous sommes tristes que vous . . .
        Il faudra que nous . . .
        Je veux qu'elle . . . que je suis ici.
        Qu'ils . . . venir le médecin !

VI. Qu'avez-vous fait hier?
        Qu'est-ce que vous ferez demain?
        Faites une petite description de la ville que vous habitez.
        Décrivez un peu la maison que vous habitez.
        Comment passez-vous vos vacances d'été?
        Quelle est votre lecture préférée?   Pourquoi?

VII. *Qu'est-ce que vous faites quand* :

        vous vous levez le matin
        vous vous couchez le soir
        vous êtes malade
        vous allez au théâtre / au cinéma
        vous allez à la campagne
        vous vous ennuyez
        vous voyagez dans le train
        le facteur vous apporte une lettre
        vous lisez le journal
        vous voulez acheter quelque chose

VIII. *Que feriez-vous si* :

        vous étiez riche
        vous étiez pauvre

vous étiez le prof
vous possédiez un avion
vous étiez un chien
vous étiez au bord de la mer
vous aviez seulement cent francs à dépenser
vous étiez soldat/infirmière/marin/médecin
vous n'étiez pas vous-même
vous alliez en France

IX.　*Qu'est-ce que vous auriez fait si* :
vous aviez été puni aujourd'hui
vous aviez passé vos vacances en France
vous étiez arrivé en retard à l'école ce matin
vous aviez oublié de faire votre devoir de français
votre oncle vous avait donné deux mille francs

X.　Scène : une salle d'attente dans une grande gare.　Entrent un porteur (avec beaucoup de bagages), une femme et son chien Toto, un jeune homme, une jeune fille, un vieux monsieur, deux écoliers et l'homme " en noir " (personnage très mystérieux).　Imaginez la conversation de ces divers personnages.

XI.　Dans un compartiment de non-fumeurs d'un train omnibus.　Une dame impérieuse avec son chien Toto.　Un monsieur qui fume la pipe.　D'autres voyageurs.　La dame proteste.　Le monsieur continue à fumer.　Furieuse, elle lui arrache sa pipe et la jette par la fenêtre ouverte.　Le monsieur, à son tour, lui saisit son cher Toto et le jette aussi par la fenêtre.　Le train s'arrête à une petite station.　Que voit-on ?　Toto qui court paisiblement après le train, la pipe du monsieur à la bouche !

Faites une pièce en un acte basée sur ces incidents.

XII.　Vous êtes au bord de la mer—ou à la campagne—pour les vacances d'été.　Ecrivez une lettre à un(e) ami(e) pour lui décrire comment vous passez votre journée quand il fait beau temps et quand il pleut.

I. A LA MAISON

Exercices de Prononciation :

Tu ne dois jamais y entrer seul.   A table, tu attends qu'on
te serve.   Tu ne dois rien dire.   Ils ont coûté trop cher.   Dans
l'armoire, il y a mes vêtements du dimanche.   Je l'aime le
mieux de tous.   Il faut qu'elles s'usent, ces bottines.

(*Un jeune garçon, dont les parents sont très sévères envers
lui, explique à un ami le régime de la maison*).

Ici, c'est la salle à manger; tu ne dois jamais y entrer seul
et surtout jamais ouvrir la porte du buffet.   A table, tu attends
qu'on te serve et surtout tu n'en demandes jamais deux fois . . . .

Là, c'est le salon; tu ne dois jamais y entrer seul, ni jamais
venir sans qu'on t'appelle—et il faut te laver les mains et te
frotter le nez avant d'entrer.

Au bout du corridor, c'est la cuisine: tu y vas pour cirer tes
chaussures: un jour tu mets du cirage, un jour tu craches;
jamais du cirage deux jours de suite . . . .

Maintenant nous allons monter l'escalier; au premier, il y
a les chambres.   Ici c'est ma chambre; ça, c'est mon lit, je
l'aime bien, je l'aime le mieux de tous.

Dans l'armoire, là, en bas, il y a mes vêtements du dimanche.
Si les bottines te font mal aux pieds, tu ne dois rien dire; il
faut qu'elles s'usent, ces bottines; à qui la faute si ton pied a
grandi?   Elles ne peuvent pourtant pas grandir aussi, ces
bottines.

Sur la planche du haut, tu vois, celle qu'on ne peut pas
attraper, il y a les beaux jouets, jamais tu ne joues avec; ils ont
coûté trop cher.

Dans le vieux panier, là sous le lit, ce sont les jouets ordinaires; tu peux jouer avec tant que tu veux, mais pas dans la maison à cause des meubles, ni dans le jardin à cause des fleurs, ni dans la rue à cause des voitures. Il y a un ballon, des billes; la toupie, c'est une autre bonne qui me l'a donnée. Elle s'appelait Mélie. Je l'aimais bien.

LÉON FRAPIÉ: *L'Accident*.

LE MENSONGE

Nous avions un Minou-Chat et un Toto-Chien. On dit que les animaux sont bêtes: les nôtres n'avaient pas besoin qu'on leur indiquât l'heure. Le matin ils savaient: bientôt leur petit maître arriverait dans sa robe de chambre, se mettrait à table et boirait son chocolat croquant des croissants déjà prêts dans la corbeille. Ils attendaient près de ma chaise. Minou-Chat à droite, Toto-Chien à gauche. Jamais ils n'échangeaient leur place. Maman me donnait la moitié d'un croissant à partager entre eux. Un jour elle fut distraite. Hop! Le chien avala, d'un seul coup, sa part. Le chat grignota la sienne et pendant ce temps que pensait le chien? Il pensait:

"L'autre mange; moi, je n'ai rien". Je donnai un nouveau morceau au chien. Oui, mais alors le chat eut fini. Et que pouvait-il penser? Je donnai un morceau au chat. Oui, mais alors, ce fut de nouveau Toto-Chien. Je n'en sortis pas. Les croissants y passèrent.

—Bravo, dit maman, tu as mangé tout.

—Oui, maman.

J'étais content parce que j'avais régalé Toto-Chien et Minou-Chat. Inquiet aussi, car j'avais dit oui quand c'était non. J'avais menti. Un instant seul, j'ouvris le buffet où l'on trouvait toujours quelque bonne chose. J'en croquai un peu. C'était du sucre. J'en croquai encore, puis encore. J'avais mangé: je n'avais plus menti. A midi, maman trouva cette assiette vide.

—Est-ce toi, petit?

—Oh! non, maman.

—Si, mon petit. Il ne faut pas mentir. Et manger des bonbons en cachette, c'est voler. Oh! le vilain!

Voler! Ainsi, pour n'avoir pas menti, j'avais rementi, puis volé. L'histoire me hanta longtemps. Maman triste ou soucieuse, je la regardais: "C'est parce que tu as menti, puis volé". Maintenant encore, quand j'y pense . . . . Ce fut, je crois bien, ma première histoire de plume coupée en deux.

ANDRÉ BAILLON:

Le Perce-Oreille du Luxembourg.

LOCUTIONS UTILES:

tu ne dois jamais y entrer seul

tu n'en demandes jamais deux fois

il faut te laver les mains
deux jours de suite
je l'aime le mieux de tous
à qui la faute
jamais tu ne joues avec
à cause des fleurs

le chien avala d'un seul coup sa part
je n'en sortis pas
ma première histoire de plume coupée en deux

Employez plusieurs de ces locutions dans des phrases différentes.

GRAMMAIRE :

I. VERB DRILL :

je n'en demande jamais deux fois	**demander**
je n'en demandais pas	
je n'ai rien demandé	
mes bottines me font mal aux pieds	**faire**
ma cravate me faisait mal au . . .	
ma casquette me fait mal à . . .	
mes nouvelles chaussettes me feront mal aux . . .	
je peux jouer quand il me plaît	**pouvoir—plaire**
je pouvais . . . quand il me plaisait	
je pourrai . . . quand il me plaira	
je dois y entrer seul	**devoir**
je devrai y passer mes vacances	
je devais aller au cinéma ce soir	
j'ai dû y entrer seul	

II. LES TEMPS: IMPARFAIT ET PASSÉ HISTORIQUE:

(a) Revoir la formation de l'*Imparfait* (page 23).
N.B. j'étais, tu étais, etc.

(b) Revoir la formation du *Passé Historique* (pages 26–27). Faites une liste des verbes dits irréguliers pour la formation du Passé Historique. Combien en trouvez-vous dans les textes que vous venez de lire?

(c) Emploi de l'Imparfait et du Passé Historique:

IMPARFAIT	PASSÉ HISTORIQUE
i. Il *avait* les cheveux longs. Il *portait* un gilet jaune, et il *mettait* toujours une cravate de couleurs extraordinaires. C'*était* un poète, évidemment! (Pour les descriptions)	Il *ferma* la porte. Il *sortit* de la maison, *traversa* la rue, *entra* dans le cinéma, *paya* sa place, et *vit* un beau film du " far-west ". (Une série d'épisodes qui n'ont lieu qu'une seule fois)
ii. Il se *levait* tous les jours à 7.30 heures. Il *mangeait* une tartine à la confiture et *prenait* l'autobus à huit heures précises. (Pour ce qui est une habitude. Traduire en anglais par " used to ")	Il *passa* deux heures au cinéma. Il *resta* assis toute la journée. Un jour elle *fut* distraite. (Nous savons plus ou moins la durée de l'action)

D

IMPARFAIT	PASSÉ HISTORIQUE
iii. Il *fumait* une cigarette. (Aucune indication de combien de temps il a fumé, ni quand)	Bernard Shaw *mourut* en 1950. Il *quitta* l'école à midi. (Nous savons exactement " quand ")

ACTION INTERROMPUE

iv.   Il *mangeait* du sucre quand sa mère *entra* dans la pièce.
Il *criait* à tue-tête quand le prof lui *ordonna* de se taire.

Justifiez l'emploi de ces temps dans les textes que vous venez de lire.

III.   Revoir l'emploi du négatif (page 4).

i.   Je *n*'ai *ni* père *ni* mère (I have *neither* father *nor* mother)
Il *n*'a *ni* crayon *ni* plume.

N.B.   The article is omitted.

ii.   ne . . . plus (no more, no longer).
je *n*'avais *plus* menti (I had no longer lied).
il *n*'a *plus* chanté (he sang no more).
jamais on *ne* le vit *plus* boire (they *never* saw him drink again).
je *ne* veux *plus rien* (I want *nothing more*).

iii.   SPECIAL USES :
jamais du cirage deux jours de suite (NEVER polish two days running).
jamais tu ne joues avec (you NEVER play with them).
pas dans la maison à cause des meubles (NOT in the house because of the furniture).

*rien d'*intéressant (nothing interesting).

rien de mauvais (nothing bad); cf. quelque chose DE bon (something good).

Qui est là? *Personne.* (Who is there? Nobody).

Que fais-tu? *Rien.*

N.B. *Jamais* used alone and *not* in an emphatic position means EVER: Si *jamais* je le vois je lui parlerai (If EVER I see him . . .).

Invent others.

IV. Revoir l'emploi de l'adjectif et du pronom possessifs (page 7).

V.   Revoir l'emploi de l'adjectif et du pronom démonstratifs (pages 7–8).

EXERCICES:

I. A LA MAISON: (1) Qu'est-ce qu'il faut faire avant d'entrer dans le salon? (2) Où se trouve la cuisine? (3) Qu'est-ce qu'il y a dans l'armoire du jeune garçon? (4) Pourquoi ne joue-t-il jamais avec ses beaux jouets? (5) Qui lui a donné la toupie? (6) Le jeune garçon est-il vraiment malheureux? Pourquoi? (7) Les parents du jeune garçon sont-ils trop sévères envers lui? (8) Quels sont ses jouets préférés? (9) Est-ce que le garçon a bon cœur? Comment savez-vous cela? (10) Dans ce récit, qu'est-ce qui vous pousse à aimer le jeune garçon?

II. LE MENSONGE: (1) Qu'est-ce que ce jeune garçon mangeait à son petit déjeuner? (2) Comment était-il habillé? (3) Où se plaçaient le chat et le chien pendant que leur jeune maître mangeait? (4) Qu'est-ce que le jeune garçon a trouvé dans le buffet? (5) Pourquoi l'a-t-il mangé? (6) Quand sa maman était triste et soucieuse qu'est-ce que le jeune garçon avait l'habitude de se dire? (7) Trouvez-vous que les animaux sont bêtes? (8) Auriez-vous fait comme ce petit garçon? Si non, qu'est-ce que vous auriez fait, vous? (9) Est-ce que la mère de ce petit garçon était bonne ou mauvaise pour lui? (10) Qu'est-ce qui vous pousse dans ce récit à aimer ce jeune garçon?

III. *Dans les phrases suivantes, mettez le verbe au temps qui convient (Imparfait ou Passé Historique):*

(1) Il (sortir) à dix heures précises. (2) Je (se lever) tous les matins à huit heures. (3) Quand j'étais petit je (porter) des bottines qui (être) trop petites pour mes pieds. (4) Elle (s'appeler) Marie, celle qui (être) notre bonne. (5) Ils (rester) deux bonnes heures au cinéma. (6) Nous (manger) des cerises. (7) Il (finir) ses devoirs, (sortir) de la salle et (s'en aller) chez lui. (8) Un jour elle (être) distraite. (9) Hier il y (avoir) du tonnerre. (10) Elle (manger) une pomme quand son frère (entrer) dans la pièce.

IV. *Emploi du négatif—traduisez en français:*

(1) I have neither books nor pencils. (2) He NEVER plays with it. (3) Nobody is there. Who? Nobody. (4) I have worked no more. (5) There is nothing interesting in this book. (6) We want nothing more. (7) Does he work? NOT at school! (8) I have seen nobody. (9) Is there something good at the cinema? (10) He never eats any.

V. *Remplacez les mots en italiques par des pronoms possessifs:*

(1) J'ai perdu *mon livre* et Paul a perdu *son livre.* (2) Où sont *nos jouets*? (3) Elle a perdu *son livre.* Paul a perdu *sa plume.* (4) *Leurs jouets* sont sur cette planche. (5) *Nos bêtes* sont très

aimables. (6) *Votre cuisine* est au bout du corridor. (7) Le
chien avala tout d'un coup *sa part*. (8 J'ai mangé *mes bonbons* en cachette. (9) Maman trouva *mon assiette* vide. (10)
Ici c'est *sa chambre;* ça, c'est *mon lit.*

VI. *Remplacez le tiret par le pronom démonstratif con-
     venable:*

(1) Sur la planche du haut, —— que tu ne peux pas attraper.
(2) C'est dans le sucrier, —— qui est dans le buffet. (3) ——
qui va au cinéma deux fois de suite, c'est Paul. (4) Ce jouet-ci
est plus petit que ——. (5) Ces garçons-ci sont plus intelligents que ——. (6) Quelle pomme dois-je prendre? —— de
gauche. (7) —— est plus grand que ——. (8) A quel cinéma
êtes-vous allé? A —— du Boulevard Saint-Michel. (9) ——
qui chante est un chanteur. (10) —— qui fait la cuisine est
une cuisinière.

VII. *Traduire en bon anglais le premier paragraphe du
      " Mensonge ".*

VIII. *Dictée:*

Quand j'étais petit je possédais un chat et un chien et tous
les deux étaient très intelligents. Il ne fallait jamais les appeler
deux fois. Au petit déjeuner ils étaient toujours là, à côté de
moi, et je leur donnais, à leur tour, à manger. Ils mangeaient
avec moi des croissants. Mais un jour ils ont mangé tellement
vite qu'ils ont tout mangé. Imaginez ma confusion! Pour me
tirer d'embarras j'ai dû mentir, et maman n'était pas du tout
contente.

IX. *Traduisez en français:*

Here is the dining-room. You must never go there alone.
You must wash your hands before entering. In the
dining-room you will drink your chocolate and you will eat

croissants which are already prepared in the basket. Your mother will give you the half of a *croissant* to share between the dog and the cat. You will never give the dog its share twice running. But whose fault is it if the dog swallows its share at one go? Ah! You must not give your share to the cat, and you must not lie.

X. (a) Vous êtes Minou-Chat. Racontez ce qui s'est passé à l'heure du déjeuner.

  (b) Faites la description de votre maison comme si vous la montriez à un(e) ami(e).

  (c) Ecrivez une lettre à un(e) ami(e) pour lui décrire la triste vie du jeune garçon dans le recit: " A La Maison ".

  (d) Racontez une aventure qui vous est arrivée.

II. JE SUIS MALADE!

EXERCICES DE PRONONCIATION:

Je suis malade. Tais-toi donc, voyons. Tu dis ça pour me taquiner. Je lui ai sauté au cou. Il ne me manquait plus que ça. J'ai un peu mal à la tête. Il n'est pas de plaisir sans peine. Je ne m'ennuie plus.

———

JOURNAL DE LA PETITE ALINE

(*La petite Aline n'aime pas beaucoup l'école et elle est très contente un jour, la veille du concours de géographie, de tomber malade.*)

Le six mars. J'ai une revision pour lundi: tous les fleuves d'Europe avec leurs affluents et les villes qu'ils arrosent, et justement je ne sais pas un mot de tout cela! Si je pouvais au moins tomber malade! Tout à l'heure j'ai eu un espoir; il me semblait que ça me gênait pour avaler. Mais Estelle a regardé ma gorge et elle n'a rien vu.

——Ça t'ennuie, hein? m'a-t-elle demandé.

J'ai répondu " Non ", mais bien sûr que si.

Le sept mars. Ça y est, je suis malade! Quand je me suis réveillée ce matin, et que j'ai senti que ça me faisait réellement mal pour avaler, j'ai eu un plaisir! C'est vrai! J'ai secoué Estelle:

——Dis-moi vite si j'ai du blanc?

Mais elle a grogné, comme toujours, et a remonté son drap sur sa tête. Alors j'ai ravalé encore pour être tout à fait sûre

45

et j'ai été tout à fait sûre. Aussitôt j'ai inventé une chanson:

J'ai bien mal à la gorge,
Et blanc et blanc, petit patablanc,
   J'ai bien mal à la gorge,
Je reste à la maison, son, son,
   Je reste à la maison!

Maman est accourue:
——Encore toi! Mais il n'est que sept heures. Tais-toi donc, voyons!

——Maman, ma petite maman chérie, c'est vrai ce que je chante: j'ai mal à la gorge. Je n'irai pas à l'école. Et tu me garderas, et j'irai dans ta chambre . . . hein que j'irai dans ta chambre? Et je ne repasserai . . . (là, je me suis tue, parce que je n'ai pas osé trop dire que j'étais contente pour les fleuves d'Europe).

——Ecoute, a chuchoté maman, tu dis ça pour me taquiner?

Tu ne me crois pas? Viens voir à la fenêtre!

Alors maman a regardé et, en effet, j'étais malade. J'ai pris ma température, et j'avais 38 degrés.

——Cela va faire du 39 degrés ce soir, a soupiré maman; mon Dieu, mon Dieu, il ne manquait plus que ça!

Je lui ai sauté au cou.

——Je suis tellement contente! Oh! tu verras comme je serai sage, comme je me laisserai bien soigner! Alors je vais dans ton lit?

——Ma foi oui, inutile de passer ça à ta sœur. Bon, la voilà qui rit, maintenant! Mais tu deviens folle, ma pauvre fille!

Et voilà, je suis installée dans le lit de maman, avec sa jolie

couverture rose et ma chemise de nuit blanche. Evidemment,
j'ai un peu mal à la tête, ma gorge est enflée, je brûle partout,
mais, comme dit le proverbe: "Il n'est pas de plaisir sans
peine". Et puis, quand je m'ennuie un peu, je n'ai qu'à penser
aux affluents du Danube et, tout de suite, je ne m'ennuie plus.

d'après COLETTE VIVIER.

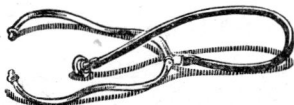

LOCUTIONS UTILES :

tomber malade
je ne sais pas un mot de tout cela
si je pouvais au moins tomber malade
tout à l'heure
il me semblait que . . .
bien sûr que si
ça y est
j'ai mal à la gorge
il ne manquait plus que ça
inutile de passer ça à ta sœur
je ne m'ennuie plus

Employez plusieurs de ces locutions dans des phrases
différentes.

GRAMMAIRE:

I. VERB DRILL:

je ne sais pas un mot de tout cela	**savoir**
je ne saurai pas ...	
je n'ai pas su finir mes devoirs	

je m'ennuie un peu	**s'ennuyer**
je m'ennuierai certainement demain, à l'école	
je me suis bien ennuyé hier au cinéma	

je me tais quand le prof s'approche de moi	**se taire —**
je me tairai si ...	**s'approcher de**
je me suis tu parce que ...	

je ne vois rien	**voir**
je verrai si ...	
je n'ai plus rien vu	

II. "AVOIR" IDIOMS:

In French the verb "avoir" is often used when in English we use the verb "to be". Pay careful attention to these:

(1)   avoir faim = to be hungry
      avoir soif = to be thirsty
Il n'*avait* plus faim mais il *avait* soif.

(2)   Quel âge *avez*-vous? J'*ai* treize ans, mais elle, elle en *a* quinze.

(3)   Je suis malade. J'*ai* mal à la tête
                          à la gorge
                          à l'estomac
                          au dos

aux reins
aux dents
à l'oreille, etc., etc.

(4)   avoir raison = to be right
      avoir tort = to be wrong
Le prof *a* toujours *raison*, nous *avons tort*, évidemment!
avoir honte = to be ashamed.
Elle *avait* honte de se promener sans chapeau.

III.   Revoir la formation du *temps futur* (page 25).
Combien de verbes irréguliers au futur avez-vous trouvés
dans ce passage?

IV.   ACCORD DU PARTICIPE PASSE:
(1)   When the verb is conjugated with "être" the past
participle agrees with the **subject:**

                 Elle est allée au cinéma hier soir
                 Nous sommes venus à huit heures
                 Elles sont sorties à midi

(2)   When the verb is conjugated with "avoir"—and most
verbs *are* conjugated with "avoir"—then the past participle
will not agree **unless** there is a **preceding direct object**—the
P.D.O.:

Il a mangé la pomme—la pomme **qu'**il a mangée.

J'ai acheté les livres—les livres **que** j'ai achetés.

La toupie, c'est une autre bonne qui me **l'**a donnée.

(3)   When the verb is reflexive it is conjugated with "être".
In such cases the past participle is really agreeing with the
reflexive pronoun, which is the P.D.O.:

┌─P.D.O.─┐
Elle s'est lavée.

┌────P.D.O.────┐
Nous **nous** sommes tus.

N.B.   Elle s'est lavé **les mains**
Elle s'est frotté **le nez** i.e. the **Direct Object**
comes *after* and not *before* the past participle.
The " se " now becomes the **Indirect** Object Pronoun.

(4)   When the past participle is used simply as an adjective,
then it agrees like any normal adjective:

Les enfants fatigués
Une chambre meublée
je suis installée dans le lit de maman

Examinez tous les accords du participe passé dans le texte
que vous venez d'étudier.

EXERCICES :

I. (1) Quand est-ce que la petite Aline est tombée malade?
(2) Qu'est-ce qu'elle a fait quand elle était tout à fait sûre
qu'elle était malade? (3) A quelle heure de la journée a-t-elle
réveillé sa maman? (6) Qu'est-ce qu'Aline a demandé à sa
maman? (7) Où Aline est-elle installée pour écrire son
journal? (8) Tenez-vous vous-même un journal? (9) Avez-
vous jamais été malade? Qu'est-ce que vous avez eu? (10) Est-
ce que vous vous ennuyez quand vous êtes malade? Qu'est-ce
que vous faites pour vous distraire?

II. *Traduisez en français* :
(1) You are right, I am thirsty. (2) I am ill. I have a back-
ache. (3) He was thirteen the day before the geography
examination. (4) She will be nineteen on the 21st of July.

(5) He will be ashamed to go to the cinema tonight.   (6) Are you thirsty?   (7) You are wrong; he is fifteen years old and she is twelve.   (8) You **never** have a head-ache!   (9) Nobody was right.   (10) I am no longer hungry, but I have neither bread nor butter.

III.   *De quels adjectifs viennent les adverbes suivants*:
   tristement, vite, prudemment, lentement, heureusement, vraiment, énormément, cher, paisiblement, mal.

IV.   *Faites accorder (si nécessaire) le participé passé*:
   (1) Elle s'est *levé* à six heures.   (2) Sa maman est *accouru*. (3) Nous sommes très *fatigué*.   (4) Il a *ouvert* la porte que sa soeur avait *fermé*.   (5) Nous nous sommes *tu*.   (6) Je me suis *lavé* les mains.   (7) Elle s'est *lavé*.   (8) Les livres que vous avez *trouvé* sont à moi.   (9) Combien de livres avez-vous *trouvé*?   (10) Quand elle est *monté* à sa chambre elle a *monté* la valise.

V.   *Dictée*:
   Aujourd'hui je suis malade!   C'est parce que j'ai une revision pour lundi—tous les fleuves d'"Europe—et justement je ne sais pas un mot de tout cela.   Je suis au lit.   J'ai mal à la gorge.   Maman vient; elle prend ma température.   "Tu dois être sage," dit-elle, " tu dois garder le lit.   Inutile de passer ça à ton frère.   Si tu veux un roman policier tu peux en choisir un pour t'amuser ".   J'en choisis un.   Je suis installé dans le grand lit de maman.   Je ne m'ennuie plus.   Chic, hein?

VI.   *Mettez ce même passage au* temps futur.

VII.   *Complétez les phrases suivantes en vous servant de mots choisis dans la liste donnée ci-dessous*:

(1) je vois avec les ——
     je —— avec la langue
     je mords avec les ——
     je pense avec le ——
     je respire avec les ——
     je —— avec le nez
     vous —— avec les oreilles
     elle touche avec les ——
     mon cœur fait —— le sang dans mes ——

(2) C'est le —— qui soigne les ——
     C'est le professeur qui ——
     En automne le —— fait tomber les —— des arbres
     C'est avec un —— qu'on —— sa température
     Quand nous avons —— à la —— ça nous —— pour
        avaler

entendre *to hear*	dents	médecin	goûter
yeux	circuler	vent *wind*	poumons *lungs*
doigts	gorge	malades	enseigner *teach*
mal	veines	feuilles *leaves*	prendre
cerveau *brain*	gêner *about*	thermomètre	sentir *to feel*

VIII. *Traduisez en français*:

That's done it, my sister is ill!   Yesterday she was saying:
" If only I could fall ill! "   When she awoke this morning it
really hurt her to swallow—she had a sore throat.   Mother
rushed up and took her temperature.   " That's really the last
straw," said mother.   Aline hugged her round the neck.   " It
seems to me that she wanted to fall ill," said Daddy, who
grunted as usual and drew his sheet over his head.   So Aline
is now installed in Mummy's bed; she is no longer bored; she
is reading a detective novel.

IX.   *Vous êtes la maman (ou le père) de la petite Aline.*
      Expliquez-nous ce qui s'est passé.

X.   *Donnez quelques extraits typiques de votre journal privé*
      —de votre journal privé imaginaire, bien entendu!

III. LE TAMBOUR DE VILLE
SE FAIT SOIGNER

EXERCICES DE PRONONCIATION :

De quoi souffrez-vous? Je n'en mange jamais. Je les aurai fin novembre. Couchez-vous de bonne heure. Plus une goutte de vin. Le Tambour s'essuie le front. Je ne me sens réellement pas à mon aise. Comme si de rien n'était.

———————————

KNOCK : De quoi souffrez-vous?

LE TAMBOUR : (*après plusieurs hésitations*) Attendez que je réfléchisse! (Il rit.) Voilà. Quand j'ai dîné, il y a des fois que je sens une espèce de démangeaison ici. (*Il montre le haut de son épigastre.*) Ça me chatouille ou plutôt ça me grattouille.

KNOCK : (*d'un air de profonde concentration*) Attention. Ne confondons pas. Est-ce que ça vous chatouille, ou est-ce que ça vous grattouille?

LE TAMBOUR : Ça me grattouille. (*Il médite*) Mais ça me chatouille bien un peu aussi.

KNOCK : Désignez-moi exactement l'endroit.

LE TAMBOUR : Par ici.

KNOCK : Par ici . . . ou cela, par ici?

LE TAMBOUR : Là. Ou peut-être là . . . Entre les deux.

KNOCK : Juste entre les deux? . . . Est-ce que ça ne serait pas plutôt un rien à gauche, là, où je mets mon doigt?

LE TAMBOUR : Il me semble bien.

KNOCK : Ça vous fait mal quand j'enfonce mon doigt?

E

LE TAMBOUR : Oui, on dirait que ça me fait mal.

KNOCK : Ah! ah! (*Il médite d'un air sombre*) Est-ce que ça ne vous grattouille pas davantage quand vous avez mangé de la tête de veau à la vinaigrette?

LE TAMBOUR : Je n'en mange jamais. Mais il me semble qui si j'en mangeais, effectivement, ça me grattouillerait plus.

KNOCK : Ah! ah! très important. Ah! ah! quel âge avez-vous?

LE TAMBOUR : Cinquante et un, dans mes cinquante-deux.

KNOCK : Plus près de cinquante-deux ou de cinquante et un?

LE TAMBOUR : (*Il se trouble peu à peu*) Plus près de cinquante-deux. Je les aurai fin novembre.

KNOCK : (*lui mettant la main sur l'épaule*) Mon ami, faites votre travail aujourd'hui comme d'habitude. Ce soir, couchez-vous de bonne heure. Demain matin, gardez le lit. Je passerai vous voir. Pour vous, mes visites sont gratuites. Mais ne le dites pas. C'est une faveur.

LE TAMBOUR : (*avec anxiété*) Vous êtes trop bon, docteur. Mais c'est donc grave, ce que j'ai?

KNOCK : Ce n'est peut-être pas encore très grave. Il était temps de vous soigner. Vous fumez?

LE TAMBOUR : (*tirant son mouchoir*) Non, je chique.

KNOCK : Défense absolue de chiquer. Vous aimez le vin?

LE TAMBOUR : J'en bois raisonnablement.

KNOCK : Plus une goutte de vin.

(LE TAMBOUR *s'essuie le front*)

LE TAMBOUR : Je puis manger?

KNOCK : Aujourd'hui, comme vous travaillez, prenez un peu de potage. Demain, nous en viendrons à des restrictions plus sérieuses. Pour l'instant, tenez-vous-en à ce que je vous ai dit.

LE TAMBOUR : (*s'essuie de nouveau*) Vous ne croyez pas qu'il vaudrait mieux que je me couche tout de suite? Je ne me sens réellement pas à mon aise.

KNOCK: (*ouvrant la porte*) Gardez-vous-en bien! Dans votre cas il est mauvais d'aller se mettre au lit entre le lever et le coucher du soleil. Faites vos annonces comme si de rien n'était, et attendez tranquillement jusqu'à ce soir.

(LE TAMBOUR *sort*. KNOCK *le reconduit*.)

JULES ROMAINS: *Knock*

(Librairie Gallimard, tous droits réservés).

LOCUTIONS UTILES:

de quoi souffrez-vous
attendez que je réfléchisse
il me semble bien
lui mettant la main sur l'épaule
faites votre travail comme d'habitude
défense absolue de chiquer
plus une goutte de vin
nous en viendrons à des restrictions plus sévères
tenez-vous-en à ce que je vous ai dit
gardez-vous-en bien
faites vos annonces comme si de rien n'était

Employez plusieurs de ces locutions dans des phrases différentes.

GRAMMAIRE:

I. VERB DRILL:

je lui mets la main sur l'épaule   **mettre**
je lui mettrai ...

je lui ai mis . . .
je lui mettais . . . quand
s'il avait froid je lui mettrais . . .

j'attends que tu fasses tes devoirs   **attendre-faire**
j'attendrai que tu fasses . . .
j'ai attendu que . . .
j'attendais que . . .

j'en bois raisonnablement   **boire-être**
j'en boirai . . .
j'en ai bu . . .
j'en buvais tous les jours mais . . .
si j'en buvais je serais . . .
j'en boirais si . . .

j'en viens à . . .   **venir**
j'en viendrai à . . .
j'en venais à . . . quand . . .

je m'essuie le front   **s'essuyer**
je m'essuierai . . .
je m'essuyais . . .
je me suis essuyé . . .
il m'essuie . . . etc., etc.

II. L'ARTICLE DÉFINI:

In English we often omit the definite article—e.g. *Les* élèves
aiment *le* football = Boys like football.

Be careful always to use the definite article in the following
cases:

(1) *Les* élèves aiment *le* football.
     Vous aimez *le vin*?
          (*The noun is used in a general sense*)

*L'*or et *l'*argent sont des métaux. (*metals*)

Il apprend *le* français depuis 3 ans. (*languages*)

Le printemps et *l'*été sont les deux saisons que je préfère. (*seasons*)

La France est plus grande que *la* Belgique. (*countries*)

La charité est bonne. (*abstract nouns*)

N.B.   Really, these nouns are also being used in a general sense.

Invent other examples.

(2)   *Le* roi Georges VI.
Le professeur Lebrun.
Le docteur Lenoir.
(*with titles*)

(3)   Paul est malade; *le* petit Charles est malade aussi.
(*proper noun preceded by an adjective*)
Invent others.

(4)   De tous mes amis j'aime *le* mieux Paul. (*superlatives*)

(5)   Cent francs *la* place—vingt francs *la* bouteille—trois cents francs *la* livre. (*with weights and measures*)

(6)   Il s'essuie *le* front.
Il me serre *la* main.
lui mettant *la* main sur *l'*épaule.
Il faut te laver *les* mains.
(*Parts of the body*)

N.B.   IDIOM: il s'en alla, *le* chapeau sur *la* tête = he went away *with his* hat on *his* head.
il se promenait *les* mains dans *les* poches = ?
Invent others.

(7) *Idiomatic expressions*:

    i.   J'irai au cinéma mardi car je fais toujours mes devoirs *le* mercredi—I shall go to the cinema *on* Tuesday, for I do my homework always *on* Wednesdays.

Invent others.

    ii.   Il tient son livre *à la* main.
J'ai un morceau de craie *dans la* main.
Explain these uses and invent others.

III. *De quoi* souffrez-vous?

Revoir l'emploi de l'adjectif et du pronom interrogatifs (pages 9–10).

IV. *Il était temps de vous soigner*!

Revoir l'emploi de " Ce " et " Il " (page 6).

————

Exercices:

I. (1) Est-ce que le tambour sait vraiment de quoi il souffre? (2) Est-ce que ça le chatouille ou est-ce que ça le grattouille? (3) Quel âge a le tambour? (4) Qu'est-ce que le docteur Knock lui conseille de faire? (5) Quel est le régime que le tambour doit suivre? (6) Est-ce qu'il lui est permis de boire du vin? (7) Est-ce que c'est grave ce qu'a le tambour? (8) Le docteur Knock est-il un charlatan? (9) Qu'est-ce qui rend cette pièce comique? (10) Qu'est-ce qui vous prouve que le tambour est crédule?

II. *Set a thief to catch a thief*!

A trompeur trompeur et demi!

(1) Montrez d'après le texte que le docteur Knock n'est pas plus méchant que le tambour—que le tambour, lui aussi, est un charlatan.

(2) Lequel des deux personnages préférez-vous? Pourquoi?

(3) Imaginez la suite de l'histoire. Puis, après, lisez la suite dans la pièce de Jules Romains.

III. *An Irish question*!
Donnez les questions auxquelles les phrases suivantes sont les résponses:

(1) C'est de Paul dont je parle. (2) C'est mon livre, monsieur. (3) Je préfère cette pomme-ci. (4) J'ai vu Paul au cinéma. (5) J'ai mangé deux œufs au petit déjeuner. (6) J'ai mal à la tête. (7) Il fait mauvais temps aujourd'hui. (8) Il n'y a rien dans la bouteille. (9) Faites vos annonces comme si de rien n'était. (10) Personne n'a parlé, monsieur.

IV. *Traduisez en français*:
(1) Doctor Brown says that Paul is ill. (2) Little John was the friend of Robin Hood. (3) I have been learning French for three years. (4) How much a pound? Ten francs a pound. (5) With her head underneath her arm she walks in London Tower. (6) He was washing his hands. (7) I do not like winter. (8) Do you like wine? I have some wine in this bottle. (9) What is the matter with you? I have tooth-ache. (10) I was holding the book in my hand when he arrived. He always comes on Thursdays.

V. *Dictée*:
Le docteur Knock savait très bien que le tambour n'était pas malade, mais il savait aussi qu'il y a beaucoup de personnes qui ne sont jamais heureuses sans croire qu'elles sont

souffrantes. Et Knock avait besoin du tambour. C'est le tambour qui allait parler de lui, qui allait faire sa réclame. Qui me dira que Knock n'avait pas raison d'agir ainsi? A trompeur trompeur et demi!

VI. *Dans les phrases suivantes remplacez les tirets par* ce *ou par* il :

(1) —— fait du brouillard aujourd'hui. (2) —— est le professeur Lenoir qui approche. —— est de mauvaise humeur. (3) Taquiner les pauvres élèves, —— amusant. (4) —— est onze heures moins le quart. (5) —— est lui qui chante faux. (6) Qu'a-t-il dans la main? —— est un bout de craie, monsieur. (7) —— est amusant de voyager par un train rapide. (8) Voyager la nuit, —— n'est pas gai. (9) —— qui n'est pas clair n'est pas français. (10) —— est le dix mai que je suis né, et —— est à Paris.

VII. *Traduisez en français* :

Doctor Knock told the town crier that *he was to* (=*il devait*) go to bed early. He was to stay in bed. He, the doctor, would come to see him. The poor town crier mopped his forehead. It seemed to him that he was very ill. He said that he wanted to go to bed at once, but the doctor told him that in his case it was bad to go to bed between sunrise and sundown. He was to work as if nothing was the matter. He was to wait patiently until the evening. Then, he could be ill!

VIII. *Vous êtes le tambour. Vous rentrez chez vous le soir et vous racontez à votre femme tout ce que le docteur Knock vous a dit.*

IX. *Ecrivez une pièce vous-même!*

Le professeur de français vous donne vos devoirs—ou essaie de vous donner des devoirs—mais vous lui expliquez que, dans votre état de santé, il serait vraiment mauvais d'essayer de travailler ce soir. La seule chose que vous puissiez faire, c'est d'aller au cinéma!

X. *Faites une pièce en un acte de l'histoire de Toto-Chien et Minou-Chat. Faites parler les animaux.*

IV. DÉSIRÉ WASSELIN

Un jour du mois de mai. Il commença par me sauver la vie. Nous revenions de l'école. Il mit la bête en fuite. Il me prit dans ses bras. Il m'en restera deux. Ça m'est bien égal. Tu auras quand-même une bonne note.

———————

Désiré fut un ami total, accompli, l'ami par excellence. Il commença par me sauver la vie, ou presque. Nous revenions de l'école un jour du mois de mai. Maman, comme d'habitude, nous guettait, du haut du balcon, là-haut, tout en haut, dans le ciel. Ferdinand venait déjà de s'engager sous la porte et moi je musais encore au coin de la rue, faisant valser mon cartable à bout de bras et chantonnant, quand un chien inconnu, un chien étranger à notre monde, me sauta férocement à la poitrine et me renversa par terre. J'en étais encore à comprendre et, déjà, Désiré se ruait sur la bête. Maman, penchée sur le balcon, emplissait l'espace d'appels dramatiques. Un charretier mit la bête en fuite. Désiré Wasselin avait été mordu en deux places, à la main et au poignet. Pâle et sanglant, qu'il me parut admirable! Il me prit dans ses bras et m'emporta dans l'escalier. Toute la maison parut aux portes. Maman pleurait à chaudes larmes en pansant mon sauveteur avec du beurre frais et cette bonne charpie dont elle avait toujours une petite provision.

A compter de ce jour, Désiré Wasselin eut, à toute heure, ses entrées dans notre logis.

A l'école, la journée commença par une leçon de calcul, science dont je n'avais pas le goût, mais le respect. Nous devions étudier la division à un chiffre. Plusieurs de ces

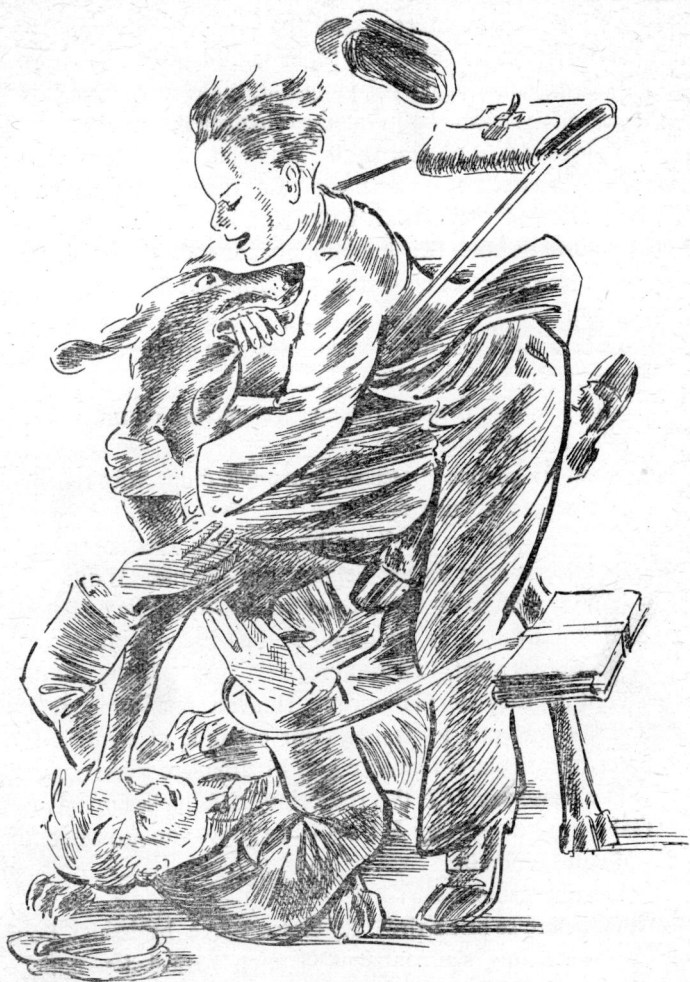

petites opérations étaient écrites au tableau.   Les élèves, à
tour de rôle, se levaient, croisaient les bras, et donnaient l'inter-
prétation rituelle.   " En vingt-huit combien de fois cinq? "
. . . Cela signifie que, si j'ai vingt-huit billes à partager . . ."
Chaque élève devait, de lui-même, changer l'exemple.

Vint le tour de mon ami Désiré Wasselin. Il croisa les bras,
fronça les sourcils et commença: " En trente-sept combien de
fois sept? . . . "   Il parlait lentement, avec peine, sa grosse
tête inclinée de côté, l'air lointain, abandonné. Il choisit pour
exemple les cerises et ne se tira pas trop mal de sa chantante
récitation:

—Cela signifie que mes camarades recevront chacun cinq
cerises et qu'il ne m'en restera que deux.

Toute la classe dressa l'oreille. La phrase normale était:
" Il m'en restera deux ".

Il y eut un silence et Désiré poursuivit d'une voix funèbre:
—Mais ça m'est bien égal!

Monsieur Joliclerc levait les bras au ciel. Il renversait la
tête en arrière, avec un air d'embarras comique. Il dit:
—Toujours martyr, alors, mon pauvre Wasselin? Allons,
rassieds-toi. Tu auras quand-même une bonne note.

Et Désiré se rassit, l'air sombre.

C'était le tour de Gabourin. Il avait une mine de rat
audacieux. Il prit les fraises pour exemple et termina son
couplet d'une voix si réticente que M. Joliclerc s'écria:
—Des fraises, oui! Il t'en reste cinq. Lesquelles prends-tu?

Gabourin rattrapa, sur le bord de sa lèvre, une grosse goutte
de salive et répondit:
—Les plus grosses!

M. Joliclerc se prit à rire. La classe, émue, bruissait. Pour
la première fois s'affrontaient à mon regard les notions
ennemies de qualité et de quantité.

d'après GEORGES DUHAMEL:
Le Notaire du Havre.

LOCUTIONS UTILES :
il commença par me sauver la vie
comme d'habitude
j'en étais encore à comprendre
maman pleurait à chaudes larmes
à compter de ce jour
science dont je n'avais pas le goût
à tour de rôle
il ne m'en restera que deux
la classe dressa l'oreille
ça m'est bien égal

Employez plusieurs de ces locutions dans des phrases différentes.

GRAMMAIRE :

I. VERB DRILL :

j'ai été mordu en deux places   **mordre**
j'aurai été mordu . . .
le chien me mordra . . . etc.

il me paraît admirable   **paraître**
je lui paraîtrai . . .
il m'a paru que . . .
je lui paraissais . . .

je le prends dans mes bras   **prendre**
je l'ai pris . . .
je le prendrai . . .
je le prenais . . .
je l'aurais pris . . .

j'écris . . . au tableau noir   **écrire**
j'écrivis . . .
j'ai écrit . . .
j'écrirai . . .

je reçois dix francs par jour   **recevoir**
je recevrai . . .
j'ai reçu . . .
je recevais . . .
je reçus . . .

II.   OMISSION OF THE ARTICLE:

There are certain cases when in French we DO leave out the article. These are:

(1)   " Adieu,   petit Jean! " cria le brave Robin Hood.
(In the vocative—i.e. addressing someone.)

(2)   Paul,   élève de cette classe, est fort gourmand.
              (Noun in apposition.)

cf. for (1) and (2) above: " Adieu   France,   reine des nations! "

(3)   Il est   médecin.
      Je suis   professeur, monsieur.
      Mon père   est pharmacien.
            (With professions)
        BUT: C'est *un* médecin, mon père.
              C'est *un* pharmacien.

(4)   Je n'ai ni   père ni   mère (ne . . . ni . . . ni . . .)

(5)   Je viens *d'*Italie et je vais maintenant *en* France.
(" de " and " en " with **feminine** names of countries)

(6)   Nous allons tous au cinéma—mère, père, tante, cousins et sœurs. (*A catalogue of names*)

(7) Un chapeau *de* paille
Une jambe *de* bois
Une table *en* bois
Un chemin *de* fer
Une robe en soie
Une tasse *à* thé

(The noun is being used as an *adjective*—discuss these)

Une tasse *de* thé
Une bouteille *de* vin
Un verre *d'*eau
Une boîte *d'*allumettes

(The noun is being used as an expression of quantity—cf. beaucoup *de*)

N.B. What is the difference between:

une tasse *à* thé
une tasse *de* thé

Find others like these.

(8) Georges six, roi d'Angleterre. (George *the* Sixth)
Louis seize, roi de France.
Henri premier.

(With " kingly " titles)

(9) The " avoir " idioms:
j'ai ⋏ faim; tu as ⋏ soif; il a ⋏ besoin de sortir;
nous avons ⋏ raison; vous avez ⋏ tort.

(10) Notices designed to " catch the eye ":
Défense de fumer
Entrée libre
Sortie
Entrée interdite

(11)   With languages and nationality:

Parlez-vous français ou anglais?   Ni l'un ni l'autre : je parle allemand.

> Je suis Français, monsieur.
> BUT—C'est *un* Français.

(12)   Certain idiomatic expressions:

> Il sortit *sans mot dire* (without saying a word)
> Il travaille *avec courage*
> > *avec soin* (adverbial—discuss)
> BUT : sans LE sou = without *a* penny.
> *Comme* boxeur, c'est un phénomène (comme = as *a*)
> Qu'est-ce que vous avez *comme* pommes?
> > (comme = in the way of)
> *Quelle* jolie cravate! (What *a* pretty tie!)
> *Jamais* homme ne fut si stupide que Louis seize!
> (*Never* was *a* man as stupid as Louis *the* Sixteenth!)

III.   Revoir l'emploi des pronoms personnels (page 4).

IV.   Revoir l'emploi de " **devoir** " et de " **venir de** ":

(a)   **devoir**:

> je vous dois dix francs—I *owe* you ten francs.
> je dois sortir ce soir—I *must* go out tonight
> > (and I shall).
> J'ai dû sortir ce soir—I *had to* go out tonight
> > (and I did).
> je dus sortir ce soir

> Je *devais* sortir, mais je suis resté à la maison—
> > I had to (was to) go out . . . and didn't.

(b) **venir de:** il vient de sortir—he has just gone out.

il venait de sortir quand Paul vint le chercher—he had just gone out when Paul came to fetch him.

Drill these uses in a variety of sentences.

EXERCICES:

I.   (1) Quand est-ce que les jeunes amis revenaient de l'école? (2) Celui qui raconte l'histoire, qu'est-ce qu'il était en train de faire? (3) Qui, finalement, a mis le chien en fuite? (4) Où est-ce que Désiré Wasselin avait été mordu? (5) Est-ce que celui qui raconte l'histoire aimait le calcul? (6) Quel exemple Désiré choisit-il? (7) Qu'est-ce que M. Joliclerc a fait quand Désiré a répondu: " Ça m'est bien égal! " ? (8) Comment était Gabourin? (9) Aimez-vous le calcul? Pourquoi? Pourquoi pas? (10) Lequel des trois élèves de cette histoire preférez-vous? Pourquoi?

II.   *Etudiez très bien le texte dans le but de répondre aux questions suivantes*:

(1)   Par quels moyens l'auteur nous rend-il Gabourin un élève détestable?

(2)   Qu'est-ce qui vous indique que M. Joliclerc est un professeur sympathique—qu'il a le sens de l'humour bien développé—qu'il est juste mais sévère?

(3)   Qu'est-ce qu'il y dans la première des deux histoires de Désiré Wasselin pour prouver que M. Joliclerc avait raison en disant que Désiré voulait être " toujours martyr " ?

III.   *Expliquez l'usage de l'*IMPARFAIT *et du* PASSE HISTORIQUE *dans les deux textes.*

F

IV. *Dans les phrases suivantes mettez l'article*—S'IL EN FAUT UN:

(1) Adieu, pauvre Désiré, ami de mon enfance! (2) Mon père est professeur. Lui, c'est médecin. (3) J'ai bu beaucoup de vin hier soir. (4) Petit Jean n'aime pas beaucoup calcul. (5) Je faisais mes devoirs toujours vendredi. (6) Il vient de France et il va à Londres. (7) Il porte à tête un chapeau de paille. (8) Vin et café sont boissons principales en France. (9) Ils sortent tous de l'Arche de Noé: éléphants, tigres, lions, chats et chiens. (10) Robert, ami de Paul, n'est pas élève très bavard.

V. *Traduisez en français*:

(1) He is a doctor. (2) He has just shut the door. (3) How much a pound? I owe you ten francs. (4) I gave him a cup of tea but he was holding a tea-cup in his hand. (5) She has given me some. He will give you some tomorrow. (6) She was wearing a silk dress. (7) On Mondays I go to the cinema. (8) She has neither pen nor pencil. (9) She has come from Belgium and she is going to France, to Paris. (10) He had to do his homework but he went to the cinema. (11) Have you some? (12) Did you go there? (13) What a pretty straw hat! (14) You are right; he was hungry. (15) He had to do his homework tonight. (16) No singing! (17) Do you speak German? No, I am a Frenchman. (18) Without saying a word he closed his book. (19) What has she in the way of ties? (20) Never was a king so fat as Henry the Eighth!

VI. *Remplacez les mots en italiques par des pronoms*:

(1) J'ai donné *du vin à Paul*. (2) Elle est allée *au cinéma*. (3) Il a donné *le livre à Paul au théâtre*. (4) Donnez *le livre à Paul*! (5) Ne donnez pas *de vin à Paul*! (6) Donnez-moi *le livre*! (7) Il te reste cinq *fraises*. (8) Combien *de pommes* as-tu? (9) "Où vas-tu si tard?" dit *la dame*. (10) Avez-vous *des* pommes?

VII. *Traduisez en bon anglais le passage*: " Vint le tour de mon ami Désiré Wasselin ... Tu auras quand-même une bonne note ".

VIII. *Dictée*: le paragraphe qui commence—" A l'école la journée commença ... changer l'exemple ".

IX. *Traduisez en français*:

When the turn of my friend Désiré came, he spoke slowly, with his head on one side. As usual he chose cherries as an example and he did not do too badly. However, instead of saying: " I shall have two left ", he said: " I shall only have two left ", and the whole class pricked up its ears. Monsieur Joliclerc threw his head back and laughed, but he gave him a good mark all the same. Désiré sat down again looking gloomy. Poor Désiré! But he was a first-rate friend!

X. (a) *Vous êtes M. Joliclerc. Décrivez à Madame ce qui s'est passé à l'école aujourd'hui.*

(b) *Décrivez un incident comique qui s'est passé dans votre classe.*

(c) *Faites une description semblable de votre meilleur(e) ami(e).*

V. LOUIS PASTEUR (1822–1895)

EXERCICES DE PRONONCIATION:

La plus pure et la plus noble des gloires. Tous s'enfuirent.
J'ai bien reçu toutes tes lettres. Elle te remercie de ton souvenir. Il m'écrit souvent. Il fait des progrès plus rapides que
toi.

———————

Louis Pasteur naquit le 27 décembre 1822 à Dôle, petite
ville du Jura. Dès sa jeunesse il montra de remarquables
aptitudes intellectuelles. Il fit de brillantes études et commença toute une série de recherches sur les fermentations. Il
démontra que le phénomène de la fermentation n'était pas
purement chimique, comme on le croyait jusqu'alors, mais
qu'il était causé par des êtres vivants, des microbes dont les
germes, épars dans l'atmosphère, peuplent surtout les pous-
sières déposées. De cette première découverte Pasteur sut faire
sortir d'importants résultats pratiques: il indiqua, comme
remède efficace contre la fermentation, le *chauffage* qui tue ou
paralyse les ferments nuisibles. C'est ce qu'on a appelé la
pasteurisation, appliquée d'abord au vin, puis au lait et enfin
à la bière.

Chargé en 1865 d'étudier la maladie qui décimait alors les
vers à soie, Pasteur se trouva ainsi orienté vers l'étude des
maladies infectieuses. Après avoir trouvé que ces maladies
étaient dues à l'introduction de microbes dans l'organisme, il
réussit à isoler ces microbes, à les " cultiver " artificiellement
et à engendrer la maladie en inoculant des cultures; puis,

———

Plate I. *Louis Pasteur dans son laboratoire.*

découverte capitale qui eut lieu en 1879, il montra qu'en inoculant une culture vieillie de microbes on pouvait préserver de la maladie. La culture ainsi atténuée constituait *un vaccin*.

Pasteur se mit ensuite à l'étude de la rage. Après plusieurs années d'expériences sur les animaux, il se décida enfin en 1885, non sans de terribles angoisses, à tenter l'inoculation du vaccin sur un enfant mordu par un chien enragé. Cet enfant s'appelait Joseph Meister. L'expérience réussit pleinement. D'autres enfants furent à leur tour inoculés, et Pasteur s'amusait à rester en contact par lettres avec plusieurs de ses jeunes amis.

Comblé d'honneurs et reconnu dans le monde entier comme un bienfaiteur de l'humanité, Pasteur demeura toute sa vie le savant modeste et généreux qu'il était à ses débuts. Une sous-cription générale permit de fonder en 1888 *l'Institut Pasteur*, pour l'étude des maladies infectieuses. Et un an avant sa mort, en 1894, le maître put assister à la découverte par un de ses élèves, le Dr. Roux, d'un sérum guérissant la diphtérie.

———

(*Le jeune Jean-Baptiste Jupille, mordu aux deux mains par un chien enragé, a été soigné par Pasteur. De retour dans son village il a écrit une lettre de remercîments au grand savant, lequel s'empresse de lui répondre.*)

Paris, le 14 *janvier* 1886

Mon cher Jupille,

J'ai bien reçu toutes tes lettres. Les nouvelles que tu me donnes de ta bonne santé me font grand plaisir. Mme. Pasteur te remercie de ton souvenir. Avec moi, elle souhaite que tu ailles bien et que tu fasses le plus de progrès possible en lecture, en écriture et en calcul. Ton écriture est déjà bien meilleure que par le passé. Mais fais beaucoup d'efforts pour apprendre l'orthographe.

———

Plate II. *Madame Curie dans son laboratoire.*

Tu sais que Joseph Meister, le premier vacciné, m'écrit souvent. Or, je trouve, quoiqu'il n'ait que dix ans, qu'il fait des progrès plus rapides que toi. Applique-toi donc le plus que tu pourras . . .

Bonjour et bonne santé.

PASTEUR

LOCUTIONS UTILES :
dès sa jeunesse
il réussit à isoler ces microbes
il se décida à tenter l'inoculation du vaccin
l'expérience réussit pleinement
reconnu dans le monde entier
il s'amusait à rester en contact avec plusieurs de ses jeunes amis
de retour dans son village
elle te remercie de ton souvenir
elle souhaite que tu ailles bien
        que tu fasses le plus de progrès possible
quoiqu'il n'ait que dix ans
applique-toi le plus que tu pourras

Employez plusieurs de ces locutions dans des phrases différentes

---

GRAMMAIRE :

I. VERB DRILL :

il naquit le 27 décembre 1822	**naître**
je suis né . . .	
je réussis à parler français	**réussir**
je réussirai à . . .	
je réussissais à . . . mais . . .	
j'ai réussi à . . .	
j'aurais réussi à . . . si . . .	

je m'appelle . . .   **s'appeler—être**
je m'appellerai . . . quand . . .
je m'appelais . . .
je me suis appelé . . .
si j'étais riche je m'appellerais . . .

je vais très bien   **aller—avoir**
j'allais le voir quand . . .
j'irai demain . . .
si j'avais de l'argent j'irais . . .
je suis allé . . .

j'apprends le français depuis . . .   **apprendre**
j'apprenais . . . depuis . . . quand . . .
j'appris à nager quand . . .
j'ai appris à . . .
j'apprendrais à . . . si . . .

II. LE SUBJONCTIF:

  (a) Revoir la formation du présent du subjonctif aux
       pages 23–24.

  (b) Revoir l'emploi du subjonctif à la page 24.

  (c) If you remember that, *generally speaking*, any expression
       of *emotion* demands the subjunctive you cannot go far
       wrong. We can now extend these remarks to the
       following cases:

(i) Je ne *dis* pas que Paul *soit* paresseux.
     Croyez-vous que Paul *soit* paresseux?
     Si vous croyez que Paul *soit* paresseux, vous avez tort.

There is an element of emotion in each of these sentences.
Thus we may draw the rule that—

Verbs of SAYING, THINKING, BELIEVING, PERCEIVING, KNOWING, if used:

Negatively

Interrogatively

Hypothetically—with " si "

Take the subjunctive. Discuss the above examples. cf. Je dis que Paul est paresseux.

Invent a whole series of sentences to illustrate these uses.

(ii) *Impersonal verbs or expressions*:

These fall into two groups—

POSSIBLES

PROBABLES

POSSIBLES take the subjunctive:

Il est possible que Paul *soit* paresseux

Il se peut que . . .

Il est rare que . . .

Il semble que . . .

N.B.   Il *me* semble qu'il *viendra*. Why?

PROBABLES take the indicative:

Il est probable que Paul *est* paresseux

Il est certain que . . .

Il est vrai que . . .

But if these PROBABLES are used—

Negatively

Interrogatively

Hypothetically   then,

Est-il certain que Paul *soit* paresseux?

Il n'est pas vrai que Paul *soit* paresseux

S'il est certain que Paul *soit* paresseux . . .

N.B.   *Il faut que* ALWAYS takes the subjunctive.

Invent a whole series of sentences to illustrate.

(iii) Superlatives are "pure" expressions of emotion, and therefore you expect the subjunctive:

C'est l'élève *le plus paresseux* que j'*aie* jamais vu!
C'est *la première* chanson que j'*aie* jamais chantée!
C'est *le seul élève* qui *comprenne* ce que je dis!
C'est *la dernière* tasse que je *veuille* vous donner!

N.B. C'est l'élève le plus paresseux de la classe que je veux voir—not the subjunctive here because a DEFINITE person is referred to, a definite fact is stated.

Discuss.

(iv) *Indefinite subjunctive:*

Montrez-moi *un* chemin qui *conduise* à la gare—cf.
Montrez-moi LE chemin qui conduit à la gare—i.e. you know a road actually exists.

Similarly: Y a-t-il un élève qui *puisse* le faire?
Où qu'il *soit* je le trouverai (Wherever)
Quoi qu'il *fasse* je le punirai (Whatever)
Qui qu'il *soit* je le punirai (Whoever)
Quelque grand qu'il *soit* je le punirai (However big—you don't know *how* big)

cf. *Tout* grand qu'il *est* je le punirai—and he is big, is the implication!

(v) *After certain conjunctions:*

avant que—before	
en attendant que—until	TIME.
jusqu'à ce que—until	

Invent sentences.

afin que	
pour que—in order that	PURPOSE.

Invent sentences.

quoique
bien que—although
à moins que . . . ne—unless   } CONCESSION.
pourvu que—provided that
      Invent sentences.

non que—not that
sans que—without
loin que—far from   } NEGATIVES.
ce n'est pas que—it isn't that
      Invent sentences.

III. VERB FAMILIES:
Revoir les listes qui se trouvent aux pages 30–31.

EXERCICES:

I. (1) Où naquit Louis Pasteur? (2) Qu'est-ce qu'il indiqua comme remède contre la fermentation? (3) A quoi les maladies infectieuses sont-elles dues? (4) Qu'est-ce que c'est qu'un vaccin? (5) En quelle année Louis Pasteur est-il mort? (6) Qu'est-ce que Madame Pasteur souhaitait que le jeune Jupille fasse? (7) Quel était le point faible dans les études de Jupille? (8) Quel âge avait Joseph Meister? (9) Quel conseil Pasteur donne-t-il à Jupille? (10) Quel âge avait Pasteur quand il est mort?

II. *Expliquez l'emploi de chaque subjonctif dans le texte que vous venez d'étudier.*

III. *Dans les phrases suivantes, le verbe est-il au subjonctif ou au présent de l'indicatif?*
(1) Je suis heureux qu'il ouvre la fenêtre. (2) Il est possible qu'il parle. (3) Je ne dis pas qu'il ouvre la fenêtre. (4) Il est

certain qu'elle aime les glaces.   (5) Est-il probable qu'il s'appelle " Tiny "?   (6) Croyez-vous qu'il mange trop?   (7) Indiquez-moi l'élève qui parle bien.   (8) Quoi qu'il s'appelle, moi je l'appellerai " Tiny ".   (9) C'est la première fois qu'il entre chez nous!   (10) Si vous vous imaginez qu'il parle bien vous avez tort.

IV.   *Traduisez en français:*

(1) Wherever she is I shall find her.   (2) Whatever she says I shall punish her.   (3) Although we are young we speak French.   (4) He is the laziest boy that I know!   (5) If it is certain that Paul is coming I shall go to the cinema.   (6) It is the last time that I write my name!   (7) I do not say that you are lazy but . . .   (8) Is there a girl who can swim?   (9) It is necessary that you do your homework.   (10) It seems to me that he is doing nothing.   (11) I shall learn to swim.   (12) He will succeed in opening the door.   (13) We have been learning French for a long time.   (14) He has decided to go to the cinema.   (15) He is playing the piano.   Wherever he is I want to see him.   (16) Although she has finished working she will do it.   (17) If you say that she has forgotten to do it I shall not believe you.   (18) Whatever he does let him come in! (19) I do not think that you owe a hundred francs.   (20) If he is waiting for the master let him do his homework.

V.   *Write as humorous a paragraph in French as you can, introducing subjunctives, " plus " and " minus " verbs, verbs taking " à " and " de " before an infinitive, and so on.   The paragraph need not make much sense—but it must be funny!*

VI.   *Dictée:*

La France nous a donné beaucoup d'autres hommes de science. Lavoiser partage les honneurs avec l'Anglais Priestley d'avoir découvert l'oxygène. Les frères Montgolfier furent les premiers à naviguer en l'air. Blériot fut le premier à traverser la Manche en avion. C'est à Lumière que nous devons le cinématographe et les premières photos en couleurs. Et plus près de notre temps M. et Mme. Curie ont découvert le radium. C'est leur beau-fils, M. Joliot-Curie, qui a l'honneur d'être un des pionniers de la désintégration de l'atome.

VII. *Traduire en anglais le premier paragraphe du texte.*

VIII. *Traduire en français:*

Pasteur soon showed remarkable intellectual qualities, but he remained, as in his youth, a modest and generous scholar. It was not without terrible anxiety that he decided in 1885 to try to inoculate with his vaccine a child that had been bitten by a mad dog, and he was very happy when the experiment proved a complete success. He became the great friend of this child, Joseph Meister, and indeed he often amused himself in writing him letters to which the young Meister always faithfully replied. When he died in 1895 he was recognised throughout the whole world as a great benefactor of humanity, and the *Institut Pasteur* today carries on his good work.

IX. *Renseignez-vous comme vous pouvez sur la vie et le travail d'autres hommes et femmes de science—e.g. Madame Curie, M. Lumière, les Montgolfier, etc. etc.*

X. (a) *Vous êtes Jean-Baptiste Jupille. Ecrivez sa réponse à cette lettre que Pasteur lui a adressée.*
   (b) *Faites une simple étude biographique sur un autre homme—ou femme—de science qui vous intéresse.*

INTERLUDE

A Jacques Riviere, au lycee Lakanal.
A lire quand tu n'auras rien de mieux a faire.

(Alain-Fournier, le futur auteur du roman célèbre " Le Grand Meaulnes" est allé passer ses vacances d'été en Angleterre. Il écrit une longue lettre à son ami intime, Jacques Rivière, lui décrivant toutes ses impressions. Alain-Fournier avait dix-neuf ans lors de ce voyage.)

Londres, 9 juillet 1905

Mon cher vieux,

Dimanche matin—dix heures. Claire petite chambre au second étage d'une villa perdue dans la verdure—à ma droite, par la fenêtre, tout un lointain horizon de feuillage et de villas, toute la tiédeur de juillet qui m'arrive, et le calme, le calme immense des dimanches matins à Londres.

J'entends vaguement qu'en bas on arrose des pelouses—et puis, de temps à autre, le sifflet du train qui s'en va vers Richmond.

Passons maintenant au détail. (Il est probable que je te donnerai seulement des indications, me réservant de te raconter plus tard en détail des foules de choses.)

1° Voyage. Paris–Dieppe.—Je commence à vouloir voir l'Angleterre avec les yeux de Dickens. Je me fais tout un petit roman sur deux fermiers anglais qui sont en face de moi. Il me semble que je m'en vais passer mes vacances à la campagne en Angleterre, et que je suis un school-boy de quelque ville de province.

Newhaven.—D'abord au loin les falaises crayeuses et blanches (Albion) premier contact avec l'Angleterre. Je ne me tire pas trop mal des premières démarches à faire " en anglais ". De Newhaven à Londres, tout à fait réveillé, je jouis délicieusement de la vue des campagnes vertes, *vertes*, fraîches, des prairies, des arbres immenses, des champs *verts*!

LONDRES.—Toujours cette impression de fraîcheur. D'abord littéralement, comme le train est haut perché, un *océan* de toits, des ports *immenses* sur la Tamise, des feuilles partout et de grands parcs *immenses*, propres et parfumés.

2°   MES OCCUPATIONS ET MES HOTES.—Lever à sept heures. Dès lundi matin, une heure après mon arrivée, j'étais présenté au secrétaire de la maison Sanderson qui en est le chef—après M. Harold Sanderson qui n'est jamais là. Immédiatement il me faisait piloter pendant la matinée à travers le quartier de Chiswick et m'emmenait déjeuner chez lui à midi et demie. L'après-midi promenade avec sa femme et une autre lady à Kew Garden. Finalement il m'offre à un prix dérisoire la pension complète chez lui (dans une villa délicieuse comme toutes celles que j'ai vues à Londres jusqu'ici) à condition que je lui donne tous les jours de sept à huit heures du soir une leçon de français, ce que je fais, lui, athlète blond fumant la pipe dans un rocking-chair, *sur sa pelouse*, un bouquin à la main—moi à côté de lui, dans un autre rocking-chair.

Depuis trois jours je fais une longue promenade, de huit à onze heures du soir, avec un jeune Anglais de vingt-deux à vingt-trois ans, excessivement spirituel, assez instruit, employé chez Sanderson, rasé, fumant la pipe, qui me tuyaute sur tout.

3°   LES VILLAS ANGLAISES.—Londres est immense, ces villas sont innombrables et *dans Londres*. Sans parler de la verdure, ni des pelouses, j'aurais voulu, les premiers jours, m'arrêter à chacune pour l'admirer à mon aise. Chacune est comme un petit château, si différent des villas de la banlieue parisienne!—avec de lourdes petites portes cirées, des fenêtres

aux nuances exquises, des pierres *idem,* des rideaux de dentelle partout et des pianos, des flûtes qu'on entend, partout,
partout.

4°   Mes Impressions Generales sur l'Angleterre.

(a)   *Générales proprement dites.*—Ç'a été d'abord l'impression de quelque chose de jamais vu, de jamais vécu, d'un
recommencement complet.

(b)   *Sur les Anglais.*—Amour de la nature qui m'a ravi
puis un peu ennuyé. Ils la mettent, pratiques, à leur disposi-
tion. Tout Londres est plein de parcs où ne traînent ni papiers
ni bouteilles, de pelouses où l'on s'assied, où l'on ne se vautre
pas. Mais sans avoir l'air artificiel, ça a l'air un peu trop
courant et commercial, trop confortable.

Amour des fleurs. Des serres merveilleuses dans les parcs.
L'Anglais s'arrête quand il sent l'odeur des tilleuls, respire
longuement, voluptueusement. . . . Oh! lovely!

5°   Comment je me Debrouille en Anglais.—Admirable-
ment les premiers jours. Moins bien maintenant parce que
j'ai des scrupules. On me fait force compliments. Je ne
comprends encore que le quart des conversations à mes côtés,
et la moitié de ce qu'on me dit.

Je ne parle qu'anglais. Je n'en suis pas encore à penser en
anglais—ça vient, j'en suis à la période, par exemple, où l'on
traduit immédiatement et irrésistiblement tout ce qu'on pense
—et où l'on a soin de ne penser autant que possible que des
choses faciles—au fond c'est atroce.

6°   Hygiene.—Si je rencontrais une boutique où l'on vende
du pain français, je me demande ce qui se passerait. On mange
ici, par repas, une languette d'une espèce de brioche sans goût.

1d. pour le vin. On boit du sirop dans de grands verres ou
de la bière. A six heures, dernier repas, du thé, *à six heures* :
aussi, entre 9 et 10, je crève de faim.

J'ai bien des choses encore à te dire. J'aurais voulu te raconter une promenade inoubliable de nuit à Richmond. Te parler des vers que je ne vais probablement pas pouvoir faire. La prochaine fois, je te ferai aussi des reproches sur ton silence de tout le trimestre. Tu pouvais bien faire le même effort que moi et essayer de dire un peu à quelqu'un qui s'efforcera de suppléer à tout ce qui ne sera pas dit et de comprendre tout ce qui sera mal dit. Quand tu pourras m'écrire, fais comme moi et remplis sans vergogne dix pages de ta seule personne. Je pense souvent à toi, ton influence s'exerce sur moi si loin de toi que je sois—ton influence bienfaisante. Je pense souvent à toi.

HENRI

(Librairie Gallimard, tous droits réservés)

Quelle impression Alain Fournier a-t-il sur l'Angleterre?
Qu'est-ce qui le frappe le plus?
Comment passe-t-il ses journées?
Comment sont les villas anglaises? Comment sont les Anglais?
Que mangent les Anglais? Est-ce qu'il aime leur nourriture?

Donnez vos impressions sur votre première visite en France—ou bien sur votre première visite à une autre partie de l'Angleterre que vous ne connaissiez pas.

VI. LE "NOUVEAU"

Chacun se leva. Il les écouta de toutes ses oreilles. Toute la classe se mit à rire. Il se baissa pour la reprendre. Débarrassez-vous donc de votre casquette! Que cherchez-vous? Vous la retrouverez, votre casquette. On ne vous l'a pas volée.

———————

Nous étions à l'étude, quand le proviseur entra, suivi d'un *nouveau* habillé en bourgeois. Ceux qui dormaient se réveillèrent, et chacun se leva comme surpris dans son travail.

Le proviseur nous fit signe de nous rasseoir; puis, se retournant vers le maître d'études:

—Monsieur Roger, lui dit-il à mi-voix, voici un élève que je vous recommande.

Resté dans l'angle, derrière la porte, si bien qu'on l'apercevait à peine, le *nouveau* était un gars de la campagne, d'une quinzaine d'ans environ, et plus haut de taille qu'aucun de nous tous. Il portait un habit-veste de drap vert à boutons noirs, des bas bleus et un pantalon jaunâtre. Il était chaussé de souliers forts, mal cirés, garnis de clous.

On commença la récitation des leçons. Il les écouta de toutes ses oreilles, attentif comme au sermon, n'osant même croiser les cuisses, ni s'appuyer sur le coude, et à deux heures, quand la cloche sonna, le maître d'études fut obligé de l'avertir, pour qu'il se mît avec nous dans les rangs.

Nous avions l'habitude, en entrant en classe, de jeter nos casquettes par terre, afin d'avoir ensuite nos mains plus libres; il fallait, dès le seuil de la porte, les lancer sous le banc, de façon à frapper contre la muraille, en faisant beaucoup de poussière.

Mais, soit qu'il n'eût pas remarqué cette manœuvre ou qu'il n'eût osé s'y soumettre, le *nouveau* tenait sa casquette sur ses deux genoux. Elle était neuve; la visière brillait.

—Levez-vous dit le professeur.

Il se leva; sa casquette tomba. Toute la classe se mit à rire.

Il se baissa pour la reprendre. Un voisin la fit tomber d'un coup de coude; il la ramassa encore une fois.

—Débarrassez-vous donc de votre casquette, dit le professeur.

Il y eut un rire éclatant des écoliers qui décontenança le pauvre garçon si bien qu'il ne savait s'il fallait garder sa casquette à la main, la laisser par terre ou la mettre sur sa tête. Il se rassit et la posa sur ses genoux.

—Levez-vous, reprit le professeur, et dites-moi votre nom.

Le *nouveau* articula un nom inintelligible.

—Répétez!

Le même bredouillement de syllabes se fit entendre, couvert par les huées da la classe.

—Plus haut! cria le maître, plus haut!

Le *nouveau*, prenant alors une résolution extrême, ouvrit une bouche démesurée et lança à pleins poumons ce mot: CHARBOVARI!

Ce fut un vacarme qui s'élança d'un bond! On aboyait, on trépignait, on répétait: CHARBOVARI! CHARBOVARI!

Cependant, sous la pluie des pensums, l'ordre peu à peu se rétablit dans la classe, et le professeur, parvenu à saisir le nom de Charles Bovary, commanda tout de suite au pauvre diable d'aller s'asseoir sur le banc de paresse, au pied de la chaire. Il se mit en mouvement, mais, avant de partir, hésita.

—Que cherchez-vous? demanda le professeur.

—Ma cas . . ., fit timidement le *nouveau*, promenant autour de lui des regards inquiets.

Un nouvel éclat de rire.

—Cinq cents vers à toute la classe! s'exclama le professeur furieux. Quant à vous, le *nouveau*, vous me copierez vingt fois le verbe *ridiculus sum*.

Puis, d'une voix plus douce!

—Eh! vous la retrouverez, votre casquette; on ne vous l'a pas volée!

Tout reprit son calme. Les têtes se courbèrent sur les cartons, et le *nouveau* resta pendant deux heures dans une tenue exemplaire, immobile, les yeux baissés.

d'après FLAUBERT: *Madame Bovary*.

LOCUTIONS UTILES:
suivi d'un *nouveau*
habillé en bourgeois
il nous fit signe de nous rasseoir
à mi-voix
on l'apercevait à peine
plus haut de taille qu'aucun de nous tous
il les écouta de toutes ses oreilles
de façon à frapper contre la muraille
d'un coup de coude
à pleins poumons
quant à vous

Employez plusieurs de ces locutions dans des phrases différentes.

GRAMMAIRE:

I. VERB DRILL:
je dors comme un sourd
je dormirai comme . . .

dormir

j'ai dormi comme . . .
j'aurais dormi comme . . . si . . .
je dormais comme . . . quand . . .

je l'aperçois à peine	**apercevoir**
j'apercevais à peine . . .	
j'ai à peine aperçu . . .	
j'apercevrai à peine . . .	
j'aperçus à peine . . .	

je m'appuie sur le coude	**s'appuyer**
je me suis appuyé sur . . .	
je m'appuyais sur . . . quand . . .	
je m'appuierai sur . . .	
si je m'étais appuyé sur . . . j'aurais . . .	

je m'assieds sur le banc de paresse	**s'asseoir**
je m'assiérai sur . . .	
je me suis assis sur . . .	
je m'asseyais quand . . .	
je me rassis sur . . .	

je promène autour de moi des	
regards inquiets	**(se) promener**
je me suis promené . . . avec . . .	
je me promènerai demain avec . . .	
je me promenais dans . . . quand . . .	
je me serais promené . . . si . . .	

II. Revoir l'emploi du Participe Présent (page 25).

III. Revoir l'emploi du Pronom Indéfini (page 10).
You may now add to these:

(1) Any
- thing—N'importe quoi—il mange n'importe quoi
- body—N'importe qui—n'importe qui viendra avec vous
- how—N'importe comment—Paul fait ses devoirs n'importe comment

(2) Some
- thing   —Il mange je ne sais quoi
- body   or other—Je ne sais qui m'a dit cela
- how   —Je le ferai, je ne sais comment

(3) Everybody—in the sense of **each one.**

chacun se leva comme surpris dans son travail
chacune des femmes chanta une chanson.

IV.   There are certain " indefinite " adjectives :

  (1)   Meaning " no ";
je n'ai *aucun* billet pour le cinéma ce soir
je n'ai *aucune* envie de sortir ce soir.

N.B.   plus haut de taille qu'*aucun* de nous tous = taller than any one of us.

Nul(le) élève *ne* me verra ce soir
Pas un(e) élève *n*'est sorti(e) ce soir = not one.

  (2)   Meaning " other ":
Ils s'aident *l'un l'autre* = one another.
L'un et l'autre sont arrivés = both.
Ni l'un ni l'autre n'est sorti ce soir = neither.
D'autres disent qu'il est intelligent = others.

N.B.   Ils s'approchèrent *l'un de l'autre.*
Personne d'autre n'est venu = nobody else.
Quelqu'un d'autre viendra avec moi = somebody else.

(3)   Meaning " such a " :
      Un tel homme—une telle femme.
      De tels hommes—de telles femmes.
      Monsieur un Tel = Mr. What-do-you-call-him.
      On y voit des élèves *tels que* Paul, Robert et Henri =
         such as.

EXERCICES :

I.   (1) Comment était habillé le *nouveau*?   (2) Comment
s'appelait le maître d'études?   (3) Quelle était l'habitude des
gosses en entrant en classe?   (4) Le *nouveau,* que faisait-il
avec sa casquette?   (5) Que fit le maître d'études pour
punir Charles Bovary?   (6) Pourquoi le punissait-il?   (7)
Charles Bovary méritait-il sa punition?   (8) Avez-vous jamais
eu un pensum?   Pourquoi?   (9) Pendant combien de temps
restait-on à l'étude dans cette école?   (10) Ayant été puni,
comment Charles Bovary se comporta-t-il le reste du temps?

II.   (1) Votre ami préféré en classe, comment est-il habillé
aujourd'hui?   (2) Comment écoutez-vous la récitation des
leçons?   Comme Charles Bovary?   (3) Monsieur Roger était-il
vraiment un maître d'études cruel?   (4) Les élèves dans cette
histoire étaient-ils cruels envers le *nouveau*?   (5) Avaient-ils
tort ou avaient-ils raison d'être cruels?   (6) Qu'est-ce que vous
auriez fait vous si vous aviez été Charles Bovary?   (7) Combien
de temps travaillez-vous le soir?   Travaillez-vous bien ou
mal?   (8) Etes-vous plus haut de taille qu'aucun de vos amis?
(9) Lequel est le plus grand élève de votre classe?   Quel âge
a-t-il environ?   (10) Lequel de vos amis travaille le mieux
en classe?   Comment le savez-vous?

III.   *Complétez les phrases suivantes:*
   (1) En —— on devient un bon nageur. (2) En —— on
devient un bon élève. (3) En —— ses yeux on devient aveugle.

(4) C'est en —— ce roman policier que je n'ai pas eu le temps de faire mes devoirs. (5) —— été malade hier je ne suis pas allé au cinéma. (6) Elle a vu des gosses —— des chansons. (7) —— allé voir mon ami qui était malade je n'ai pas pu aller au cinéma. (8) —— eu un pensum je suis resté à la maison. (9) M' —— couché tard je me suis levé tard. (10) Je ne vois jamais les films muets ; je préfère voir les films ——.

Les ayant complétées, traduire ces phrases en bon anglais.

IV. *Traduire en anglais les deux paragraphes:* " On commença la récitation des leçons . . . en faisant beaucoup de poussière."

V. *Traduisez en français:*
(1) I eat anything. (2) I will do it somehow or other. (3) He does his homework anyhow. (4) He is more intelligent than any of you. (5) Such a boy is cruel. (6) Who is there? Nobody. (7) Nobody opened the door. (8) I saw nobody else. (9) Others think that I am mad. (10) Nothing astonishes me. (11) Everybody got up. (12) Each one of us looked at the new boy. (13) Have you seen Paul or Robert? No, neither has come tonight. (14) I have no right to punish you. (15) Somebody or other has closed the door. (16) They were both walking in the park. (17) No girl has read this book. (18) Somebody else must open the door. (19) They all came. (20) Everybody burst out laughing.

VI. *Dictée:*
les quatre premiers paragraphes du texte.

VII. *Traduisez en français:*
I shall never forget the first day that I went to school. On entering the classroom the boys were in the habit of throwing their caps on the floor, underneath the bench. My cap was

new and I kept it on my knees. When the master told me to stand up my cap fell and all the class began to laugh. I did not know if I should keep my cap in my hand, leave it on the floor, or put it on my head. So I sat down again and placed it once more on my knees.

"Stand up!" said the master, furious, "and tell me your name!"

A fresh burst of laughter.

"Three hundred lines to all the class!" shouted the master. "As for you, new boy, go and sit at the foot of my desk. You will find your hat again. We haven't stolen it from you."

VIII. *Faites une pièce en un acte de cette histoire.*

IX. *Monsieur Joliclerc raconte à sa femme et à ses enfants, pendant le repas du soir, les incidents de la journée.*

X. *Racontez brièvement votre première journée à l'école Imitez autant que possible le style de Flaubert.*

VII. MONSIEUR JOURDAIN APPREND L'ORTHOGRAPHE

EXERCICES DE PRONONCIATION :

Je sais lire et écrire. Très volontiers. Que cela est beau ! Il n'y a rien de plus juste. Vous avez raison. Je vous en prie. Je vous remercie de tout mon cœur. Je n'y manquerai pas.

———————

MAÎTRE DE PHILOSOPHIE : Que voulez-vous apprendre ?

M. JOURDAIN : Tout ce que je pourrai, car j'ai toutes les envies du monde d'être savant ; et j'enrage que mon père at ma mère ne m'aient pas fait bien étudier dans toutes les sciences, quand j'étais jeune.

ME. DE PHIL. : Ce sentiment est raisonnable : Nam sine doctrina vita est quasi mortis imago. Vous entendez cela, et vous savez le latin sans doute.

M. JOURD. : Oui, mais faites comme si je ne le savais pas : expliquez-moi ce que cela veut dire.

ME. DE PHIL. : Cela veut dire que : " Sans la science, la vie est presque une image de la mort."

M. JOURD. : Ce latin-là a raison.

ME. DE PHIL. : N'avez-vous point quelques principes, quelques commencements des sciences ?

M. JOURD. : Oh ! oui, je sais lire et écrire.

ME. DE PHIL. : Par où vous plaît-il que nous commencions ? Voulez-vous que je vous apprenne la logique ?

M. JOURD. : Qu'est-ce que c'est que cette logique ?

ME. DE PHIL. : C'est elle qui enseigne les trois opérations de l'esprit.

M. Jourd. : Qui sont-elles, ces trois opérations de l'esprit?

Me. de Phil. : La première, la seconde, et la troisième. La première est de bien concevoir par le moyen des universaux. La seconde, de bien juger par le moyen des catégories ; et la troisième, de bien tirer une conséquence par le moyen des figures BARBARA, CELARENT, DARII, FERIO, BARALIPTON, etc.

M. Jourd. : Voilà des mots qui sont trop rébarbatifs. Cette logique-là ne me revient point. Apprenons autre chose qui soit plus joli.

Me. de Phil. : Voulez-vous apprendre la morale?

M. Jourd. : La morale?

Me. de Phil. : Oui.

M. Jourd. : Qu'est-ce qu'elle dit, cette morale?

Me. de Phil. : Elle traite de la félicité, enseigne aux hommes à modérer leurs passions, et . . .

M. Jourd. : Non, laissons cela. Je suis bilieux comme tous les diables ; et il n'y a morale qui tienne, je me veux mettre en colère tout mon soûl, quand il m'en prend envie.

Me. de Phil. : Est-ce la physique que vous voulez apprendre?

M. Jourd. : Qu'est-ce qu'elle chante cette physique?

Me. de Phil. : La physique est celle qui explique les principes des choses naturelles, et les propriétés du corps ; qui discourt de la nature, des éléments, des métaux, des minéraux, des pierres, des plantes et des animaux, et nous enseigne les causes de tous les météores, l'arc-en-ciel, les feux volants, les comètes, les éclairs, le tonnerre, la foudre, la pluie, la neige, la grêle, les vents et les tourbillons.

M. Jourd. : Il y a trop de tintamarre là-dedans, trop de brouillamini.

Me. de Phil. : Que voulez-vous donc que je vous apprenne?

M. Jourd. : Apprenez-moi l'orthographe.

Me. de Phil. : Très volontiers.

M. JOURD.: Après vous m'apprendrez l'almanach, pour savoir quand il y a de la lune et quand il n'y en a point.

ME. DE PHIL.: Soit. Pour bien suivre votre pensée et traiter cette matière en philosophe, il faut commencer selon l'ordre des choses, par une exacte connaissance de la nature des lettres, et de la différent manière de les prononcer toutes. Et là-dessus j'ai à vous dire que les lettres sont divisées en voyelles, ainsi dites voyelles parce qu'elles expriment les voix ; et en consonnes, ainsi appelées consonnes parce qu'elles sonnent avec les voyelles, et ne font que marquer les diverses articulations des voix. Il y a cinq voyelles ou voix : A. E. I. O. U.

M. JOURD.: J'entends tout cela.

ME. DE PHIL.: La voix A se forme en ouvrant fort la bouche : A.

M. JOURD.: A, A. Oui.

ME. DE PHIL.: La voix E se forme en rapprochant la mâchoire d'en bas de celle d'en haut : A, E.

M. JOURD.: A, E, A, E, Ma foi ! oui. Ah ! que cela est beau !

ME. DE PHIL.: Et la voix I en rapprochant encore davantage les mâchoires l'une de l'autre, et écartant les deux coins de la bouche vers les oreilles : A, E, I.

M. JOURD.: A, E, I, I, I, I. Cela est vrai. Vive la science !

ME. DE PHIL.: La voix O se forme en rouvrant les mâchoires, et rapprochant les lèvres par les deux coins, le haut et le bas : O.

M. JOURD.: O, O. Il n'y a rien de plus juste. A, E, I, O, I, O. Cela est admirable ! I, O, I, O.

ME. DE PHIL.: L'ouverture de la bouche fait justement comme un petit rond qui représente un O.

M. JOURD.: O, O, O. Vous avez raison. Ah ! la belle chose, que de savoir quelque chose !

ME. DE PHIL.: La voix U se forme en rapprochant les dents sans les joindre entièrement, et allongeant les deux lèvres en dehors, les approchant aussi l'une de l'autre sans les joindre tout à fait : U.

M. Jourd. : U, U. Il n'y a rien de plus véritable : U.

Me. de Phil. : Vos deux lèvres s'allongent comme si vous faisiez la moue : d'où vient que si vous la voulez faire à quelqu'un, et vous moquer de lui, vous ne sauriez lui dire que : U.

M. Jourd. : U, U. Cela est vrai. Ah! que n'ai-je étudié plus tôt, pour savoir tout cela?

Me. de Phil. : Demain, nous verrons les autres lettres, qui sont les consonnes.

M. Jourd. : Est-ce qu'il y a des chose aussi curieuses qu'à celles-ci?

Me. de Phil. : Sans doute. : La consonne D, par exemple, se prononce en donnant du bout de la langue au-dessus des dents d'en haut : Da.

M. Jourd. : Da, Da, Oui. Ah! les belles choses! les belles choses!

Me. de Phil. : L'F en appuyant les dents d'en haut sur la lèvre de dessous : Fa.

M. Jourd. : Fa, Fa, C'est la vérité. Ah! mon père et ma mère, que je vous veux de mal.

Me. de Phil. : Et l'R, en portant le bout de la langue jusqu'au haut du palais, de sorte qu'étant frôlée par l'air qui sort avec force, elle lui cède, et revient toujours au même endroit, faisant une manière de tremblement : Rra.

M. Jourd. : R, r, ra; R, r, r, r, r, ra. Cela est vrai. Ah! l'habile homme que vous êtes! et que j'ai perdu de temps! R, r, r, ra.

Me. de Phil. : Je vous expliquerai à fond toutes ces curiosités.

M. Jourd. : Je vous en prie. Au reste, il faut que je vous fasse une confidence. Je suis amoureux d'une personne de grande qualité, et je souhaiterais que vous m'aidassiez à lui écrire

quelque chose dans un petit billet que je veux laisser tomber
à ses pieds.

ME. DE PHIL.: Fort bien.

M. JOURD.: Cela sera galant, oui?

ME. DE PHIL.: Sans doute. Sont-ce des vers que vous lui
voulez écrire?

M. JOURD.: Non, non, point de vers.

ME. DE PHIL.: Vous ne voulez que de la prose?

M. JOURD: Non, je ne veux ni prose ni vers.

ME. DE PHIL.: Il faut bien que ce soit l'un ou l'autre.

M. JOURD.: Pourquoi?

ME. DE PHIL.: Par la raison, Monsieur, qu'il n'y a pour s'exprimer que la prose, ou les vers.

M. JOURD.: Il n'y a que la prose ou les vers?

ME. DE PHIL.: Non, Monsieur: tout ce qui n'est pas prose est
vers; et tout ce qui n'est pas vers est prose.

M. JOURD: Et comme l'on parle qu'est-ce que c'est donc que
cela?

ME. DE PHIL.: De la prose.

M. JOURD.: Quoi? Quand je dis: "Nicole, apportez-moi mes
pantoufles, et donnez-moi mon bonnet de nuit," c'est de la
prose?

ME. DE PHIL.: Oui, Monsieur.

M. JOURD.: Par ma foi! Il y a plus
de quarante ans que je dis de la
prose sans que j'en susse rien, et je
vous suis le plus obligé du monde
de m'avoir appris cela. Je voudrais
donc lui mettre dans un billet:
"Belle Marquise, vos beaux yeux
me font mourir d'amour"; mais
je voudrais que cela fût mis d'une
manière galante, que cela fût
tourné gentiment.

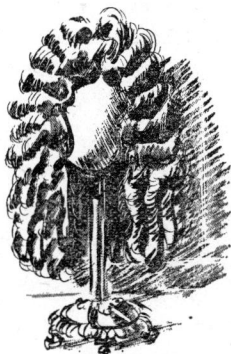

M<small>E</small>. D<small>E</small> P<small>HIL</small>.: Mettre que les feux de ses yeux réduisent votre
cœur en cendres; que vous souffrez nuit et jour pour elle
les violences d'un . . .

M. J<small>OURD</small>.: Non, non, non, je ne veux point tout cela; je ne
veux que ce que je vous ai dit: "Belle Marquise, vos beaux
yeux me font mourir d'amour".

M<small>E</small>. D<small>E</small> P<small>HIL</small>.: Il faut bien étendre un peu la chose.

M. J<small>OURD</small>.: Non, vous dis-je, je ne veux que ces seules paroles-
là dans le billet; mais tournées à la mode, bien arrangées
comme il faut. Je vous prie de me dire un peu, pour voir
les diverses manières dont on les peut mettre.

M<small>E</small>. D<small>E</small> P<small>HIL</small>.: On les peut mettre premièrement comme vous
avez dit: "Belle Marquise, vos beaux yeux me font mourir
d'amour". Ou bien: D'amour mourir me font, belle Marquise, vos beaux yeux". Ou bien: "Mourir vos beaux
yeux, belle Marquise, d'amour me font". Ou bien: "Vos
yeux beaux d'amour me font, belle Marquise, mourir". Ou
bien: "Me font vos beaux yeux mourir, belle Marquise,
d'amour".

M. J<small>OURD</small>.: Mais de toutes ces façons-là, laquelle est la
meilleure?

M<small>E</small>. D<small>E</small> P<small>HIL</small>.: Celle que vous avez dite: "Belle Marquise vos
beaux yeux me font mourir d'amour".

M. J<small>OURD</small>.: Cependant je n'ai point étudié, et j'ai fait cela tout
du premier coup. Je vous remercie de tout mon cœur, et
vous prie de venir demain de bonne heure.

M<small>E</small>. D<small>E</small> P<small>HIL</small>.: Je n'y manquerai pas.

M<small>OLIÈRE</small>: *Le Bourgeois Gentilhomme.*

L<small>OCUTIONS</small> U<small>TILES</small>:
j'ai toutes les envies du monde d'être savant
faites comme si je ne le savais pas
apprenons autre chose qui soit plus joli

Plate III. " *Le Bourgeois Gentilhomme,*" *à la Comédie Française.*

(Centre: Monsieur Jourdain, played by Coquelin)

très volontiers

il n'y a rien de plus juste

la belle chose que de savoir quelque chose

que n'ai-je étudié plus tôt

je vous expliquerai à fond

j'ai fait cela tout du premier coup

je vous remercie de tout mon cœur

que voulez-vous que je vous apprenne

je n'y manquerai pas

Employez plusieurs de ces locutions dans des phrases différentes.

GRAMMAIRE :

I. VERB DRILL :

    je veux dire qu'il n'est pas là   **vouloir**

    je voulais dire que . . .

    je voudrais dire que . . .

    j'aurais voulu dire que . . .

    je dis qu'il n'est pas intelligent   **dire**

    je dirai que . . .

    j'avais dit que

    je dis que . . .

    si je disais que . . . il ne serait pas content

    j'entends tout cela   **entendre**

    j'entendrai volontiers la chanson

    j'ai entendu ce que tu veux dire

    j'entendis ce qu'il avait chuchoté

    je perds patience en te voyant si triste   **perdre**

    je perdrai patience si . . .

    j'avais perdu . . . à la gare

    je perdis . . . à . . .

    si je perdais . . . j'irais trouver un agent

Plate IV. " *Les Femmes Savantes,*" *à la Comédie Française.*

H

je meurs de faim et de soif   **mourir**
je mourrai de peur s'il ne vient pas
je mourais de soif quand . . .
je suis mort de froid

II.   *Tout ce qui n'est pas prose est vers.*
Revoir l'emploi du pronom relatif (pages 8–9).

III.   Revoir l'emploi du Conditionnel et du Conditionnel
Passé (pages 26 and 29).

IV.   L'IMPARFAIT DU SUBJONCTIF:

(1)   Revoir l'emploi du subjonctif à la page 77.

(2)   The Imperfect Subjunctive is very rarely used, except in
highly literary French, but we must know how it is
formed in order to recognise it in our reading. For-
tunately, it is simple and there are NO exceptions to
the following rule:

Take the second person singular of the Passé Historique and
add to this the following endings—

-er verbs	**-ir** and **-re** verbs	**-oir** verbs
porter—tu portas	*finir—tu finis*	*recevoir—tu reçus*
que je portas-SE	que je finis-SE	que je reçus-SE
tu portas-SES	tu finis-SES	tu reçus-SES
il portât	il finît	il reçût
nous portas-SIONS	nous finis-SIONS	nous reçus-SIONS
vous portas-SIEZ	vous finis-SIEZ	vous reçus-SIEZ
ils portas-SENT	ils finis-SENT	ils reçus-SENT

N.B.   The circumflex in the third person singular to dis-
tinguish the tense from the Passé Historique.

EXERCICES :

I. (1) Qu'est-ce que M. Jourdain veut que son maître lui apprenne? (2) Et puis après, qu'est-ce qu'il veut apprendre? Pourquoi? (3) Les lettres comment sont-elles divisées? (4) Pourquoi appelle-t-on les voyelles des voyelles? (5) Comment vos deux lèvres s'allongent-elles quand vous faites la voyelle U? (6) Comment prononce-t-on la consonne F? (7) De qui M. Jourdain est-il amoureux? (8) Qu'est-ce qu'il veut écrire à cette personne? (9) Quel âge M. Jourdain a-t-il environ? (10) Quand M. Jourdain prendra-t-il sa seconde leçon?

II. (1) M. Jourdain a-t-il raison d'enrager que son père et mère ne l'aient pas fait bien étudier? (2) Le maître de philosophie est-il un charlatan? Donnez des citations tirées du texte pour prouver ce que vous pensez. (3) D'après le texte qu'est-ce qui vous prouve que M. Jourdain est un vieux sot? (4) Est-ce qu'il vous fait pitié ou est-ce qu'il vous fait rire? (5) Par quels moyens Molière rend-il cette scène vraiment comique? (6) Pourquoi la pièce s'appelle-t-elle " Le Bourgeois Gentilhomme?" (7) Expliquez clairement ce que c'est que l'histoire, la géographie, le latin, la danse, la natation, la chimie, l'histoire naturelle, le chant, un pensum, les mathématiques.

III. *Expliquez clairement l'emploi de chaque subjonctif dans le texte étudié.*

IV. " Si j'étais professeur "—*expliquez clairement (et d'une façon amusante) ce que vous feriez si vous étiez un des professeurs de votre lycée.*

V. *Mettez ce que vous avez écrit au passé*—e.g. " Si j'avais été professeur je me serais levé à dix heures du matin. J'aurais fait travailler mes élèves et moi je n'aurais absolument rien fait . . . etc. . . . . etc."

VI. *Mettez le pronom relatif qui convient* :

(1) Tout —— je dis est la vérité. (2) Tout —— brille n'est pas or. (3) L'élève avec —— je vais à la natation nage bien. (4) L'élève —— je parle s'appelle Martin. (5) L'élève à la cravate bleue —— je parle est absent. (6) Dites-moi un peu —— vous pensez. (7) Je parle de la mère de Martin, —— est fort malade. (8) Il ne veut pas dire —— il a besoin. (9) " Je suis mort ! " dit-il, —— nous a fait éclater de rire. (10) Les livres avec —— je travaille sont fort abîmés.

VII. *Dictée* :

M. Jourdain était fort désireux d'apprendre quelque chose mais il ne savait pas expliquer clairement ce qu'il voulait qu'on lui apprenne. Que devait donc faire le maître de philosophie ? Il a fait de son mieux avec l'élève certainement le plus extraordinaire qu'il ait jamais rencontré. Vous, comment auriezvous appris à cet homme d'écrire une lettre qu'il veut ni en prose ni en vers ? Je vous en demande un peu ! Il n'y a rien de plus fou qu'un vieux fou !

VIII. *Traduisez en français* :

Monsieur Jourdain knew how to read and write so he asked his master to teach him spelling. The latter showed him how to form the vowels with his mouth and then afterwards how to form a few consonants. " Ah ! " cried M. Jourdain, " what a fine thing it is to know something ! Why didn't I study sooner ? What a lot of time I have wasted ! " The master explained everything fully to him. M. Jourdain thanked him trom the bottom of his heart and told him to come early the next day. He said he would not fail to do so.

IX. *Imaginez la suite de l'histoire. Continuez la leçon que donna le lendemain le maître de philosophie. Puis, lisez pour vous-même la suite d'après Molière.*

X.   *Ecrivez une pièce en un acte pour* :

   (a)   le fils de M. Jourdain qui désire savoir comment plaire
         à son professeur.

   (b)   Madame Jourdain qui veut savoir comment faire la
         cuisine.

   (c)   Monsieur Jourdain qui apprend l'anglais.

VIII. COLERES DE MON PERE

Un monsieur d'un certain âge. Allons, monsieur! Parfois
nous descendions nous-mêmes. Voulez-vous que je vous aide?
Pas de singeries, monsieur! Pourquoi me tires-tu la manche,
Lucie? J'aime encore mieux ça. Pas d'explication. Il s'en
allait, l'enfant sous le bras. On va te sortir! Je m'en irai
quand il me plaira.

———————

Le spectacle du ridicule, chez les autres, rendait intolérant
mon père. La réaction était franche, immédiate, peu prévisible.

Nous étions un jour dans l'omnibus quand un monsieur d'un
certain âge, peut-être même décoré de la Légion d'honneur, se
mettait à bâiller, à rebâiller. Mon père prit alors la parole :

—Allons, monsieur! Vous n'avez donc pas honte de nous
montrer tout ce que vous avez dans la bouche?

Cette simple question produisit le plus grand effet. Toutes
conversations suspendues, l'omnibus, haletant, attendait la
suite avec l'espoir et la frayeur d'un scandale. Maman saisit
notre père par le bras et gémit, pleine d'angoisse :

—Raymond, Raymond, pour l'amour de Dieu!

Mais mon père promenait sur l'assistance un regard froid.
Il sourit et prononça avec une force glaciale :

—Quand on est affligé de cette affreuse manie, monsieur, on
prend un fiacre.

A la personne qui se grattait sans vergogne, mon père avait
l'air d'offrir gracieusement assistance :

—Voulez-vous que je vous aide?

Il ne pouvait non plus supporter les grimaces, ni chez nous, ni chez les étrangers. Rencontrions-nous dans la rue un passant qui regardait le ciel en clignant de l'œil et en montrant les dents, papa lui disait tout net:

—Pas de singeries, monsieur! Ou vous vieillirez avant l'heure.

Comme il était fort chevelu, papa détestait les chauves, surtout quand ils avaient l'impudeur (le mot de mon père) de ne pas mettre leur chapeau.

—Allons, couvrez-vous, monsieur! Est-ce que je montre mes genoux?

Rencontrions-nous quelqu'un d'une laideur excessive, papa levait les yeux au ciel et criait:

—Il faut être beau! Je ne comprends pas . . . Pourquoi me tires-tu par la manche, Lucie? Je te répète qu'il n'est pas permis d'être laid comme certaines personnes que je préfère ne pas désigner plus clairement.

Papa ne pouvait souffrir qu'une femme portât un enfant de manière défectueuse. Il éclatait, pas d'autre mot:

Mais non, madame! on ne laisse pas pendre ainsi la tête d'un bébé. Vous en ferez un idiot, ou un estropié, de ce petit!

La dame s'avisait-elle de protester:

—Pas d'explication, disait-il. Je sais ce que c'est que les enfants, madame, j'en ai eu six.

Je l'ai vu saisir l'enfant et lui donner en grondant une position convenable. Il s'enflammait alors:

—Je vais vous le porter jusqu'à votre maison. J'aime encore mieux ça.

Et il s'en allait, effectivement, l'enfant sous le bras.

Un soir père décida de nous emmener au théâtre, à ce petit théâtre de Montparnasse qui, je crois, existe toujours. On y jouait une pièce dont je ne saurais dire ni le sujet, ni le titre, ni l'auteur, ni quoi que ce soit, sinon qu'à certain moment une femme, les mains dans les poches d'un tablier noir, venait pousser des lamentations sur le sort d'un monsieur qu'on avait mis en prison. Il y avait au théâtre une grosse foule populaire.

Soudain, je vis papa fouiller dans sa poche et sortir son trousseau de clefs. Ce devait être un geste connu de ma mère, car elle devint verte et se prit à trembler:

—Ram ... Pour l'amour de Dieu!

Mon père avait enfin trouvé la clef creuse qui lui paraissait convenable. Il la mit à ses lèvres et commença de siffler. Un sifflet strident, discordant, opiniâtre. L'actrice s'arrêta, saisie. En une seconde, la salle entière fut debout. Papa s'était dressé de même, la moustache hérissée, pâle mais encore souriant.

—Je ne comprends pas, dit-il dans un soudain silence, je ne comprends pas qu'un théâtre honorable joue une si mauvaise pièce!

Il y eut des rafales de cris et, bientôt, des hurlements.

—Va-t-en! clamaient les galeries. On va te sortir!

Père saisit des deux mains la rampe.

—J'ai payé ma place, dit-il. Je m'en irai quand il me plaira.

Il se rassit dans la tempête. Nous ne partîmes qu'à l'entr'acte. Et pendant que nous traversions les groupes, Papa répétait tout haut:

—Je ne comprends pas! ...

Oh! c'est qu'il était peu tendre pour ce qu'il ne comprenait pas!

d'après GEORGES DUHAMEL:
Le Notaire du Havre.

LOCUTIONS UTILES:

voulez-vous que je vous aide

pas d'explication

on y jouait une pièce dont je ne saurais dire le sujet

j'aime encore mieux ça

je sais ce que c'est que les enfants

j'en ai eu six

rencontrions-nous quelqu'un

il s'en allait, l'enfant sous le bras

en clignant de l'œil

vous n'avez donc pas honte

Employez plusieurs de ces locutions dans des phrases différentes.

GRAMMAIRE:

I. VERB DRILL:

je m'en irai quand il me plaira   **aller—plaire**

je m'en vais quand . . .

je m'en suis allé quand . . .

je m'en serais allé quand . . .

je me rends aujourd'hui à Paris   **se rendre—battre**

je me rendrai demain à . . .

je me suis rendu hier à . . .

je me serais rendu si j'avais été battu

je préfère ne pas y aller   **préférer**

j'aurais préféré . . .

je préférerais . . . si . . .

j'avais préféré rester chez moi

je crois bien qu'il viendra   **croire**

je croyais qu'il . . .

j'aurais cru que tu . . .
je croirai ce que tu . . . quand . . .

je ne comprends pas ce que tu dis   **comprendre**
je ne comprendrai jamais de ma vie
je n'ai rien compris de tout ça
je comprenais vaguement ce qu'il
    voulait dire
je compris qu'il fallait sortir

II.   LE PARFAIT DU SUBJONCTIF.

This tense is quite easy to form.   Take the past participle
of the verb and conjugate it with either " avoir " or " être " in
the PRESENT subjunctive.   Thus—

IL EST FÂCHÉ QUE : j'aie perdu mon livre
                      tu aies perdu ton livre
                      il ait perdu son livre
                      nous ayons perdu notre livre
                      vous ayez perdu votre livre
                      ils aient perdu leur livre

                      je sois allé au cinéma
                      tu sois allé au cinéma
                      il soit allé au cinéma
                      nous soyons allés au cinéma
                      vous soyez allés au cinéma
                      ils soient allés au cinéma

                      je me sois levé tard
                      tu te sois levé tard
                      il se soit levé tard
                      nous nous soyons levés tard
                      vous vous soyez levés tard
                      ils se soient levés tard

III. IDIOMATIC USES OF THE REFLEXIVE VERB:

How do you define a reflexive verb? Give examples.

Here are classified for you some special uses you should know:

(1) *Meaning " one another "*:

Ils se jetaient des boules de neige = they were snow-balling *one another*.

Vous vous êtes rencontrés à Paris = you met *one another* in Paris.

Invent other examples.

(2) *Meaning " to grow "*:

Je m'ennuie de ne rien faire = I am *growing* bored doing nothing.

Je me suis fatigué à faire mes devoirs = I *grew* tired doing my homework.

Nous nous inquiétons de leur absence = We are *growing* anxious at their absence.

(3) *To avoid the passive*:

La porte s'ouvre—translate.

Le château se visite à deux heures—translate.

Ces pommes se vendent 20 francs le kilo—translate.

Invent other examples.

(4) Parts of the body:

Je *me* lave *les* mains—translate.

Elle *se* brosse *les* cheveux.

Invent other examples.

(5) Making a verb reflexive can change its meaning:

demander   Je demande du pain = I ask for some bread

Je ME demande où nous sommes = I WONDER where we are

mettre   Je mets mes gants quand il fait froid
                   Je ME mets à chanter = I begin to sing

passer   il passe le pain à Robert
                   Il n'y a pas de pain. Tant pis, je M'EN
                      passe (*se passer de* = to do without)

retourner   Il retourne demain à Paris
                   Il SE retourne = he TURNS ROUND

servir   je sers la soupe
                   je ME sers d'une cuillère pour manger la
                      soupe (*se servir de* = to use)

tenir   Je tiens un livre à la main
                   Je ME tiens au coin de la rue (*se tenir*
                      = to stand)
                   Je ME tiens debout

tromper   Il trompe son prof = he deceives his
                      master
                   Il SE trompe = he is mistaken

trouver   J'ai trouvé mon livre
                   L'école SE trouve au coin de la rue =
                      the school IS SITUATED at the corner
                      of the street

IV.   Revoir l'emploi du pronom disjonctif (page 4).

———————

EXERCICES :

I.   (1) Que fit le monsieur d'un certain âge pour exaspérer le
père de l'auteur?   (2) Quel était le prénom de son père?   Et
de sa mère?   (3) Pourquoi le père détestait-il les chauves?
(4) Combien d'enfants avait-il?   (5) A quel théâtre alla-t-on

un soir?   (6) Le théâtre était-il plein ou vide?   (7) Le père de
l'auteur que sortit-il de sa poche?   Pourquoi?   (8) Que fit
l'actrice?   (9) Pourquoi le père de l'auteur refusa-t-il de sortir
du théâtre?   (10) Quand quitta-t-on finalement le théâtre?

II.   (1) Etes-vous peu tendre pour ce que vous ne comprenez
pas?   (2) Aimez-vous le théâtre?   Quelles pièces aimez-vous
—mélodrames, comédies, tragédies, pièces historiques, farces?
(3) Quand est-ce que vous vous mettez à bâiller?   (4) Rencon-
triez-vous un homme dans la rue qui sifflait qu'est-ce que vous
lui diriez?   (5) Et s'il mangeait un paquet de frites?   (6) Comment porte-on un bébé?   (7) Décrivez en quelques mots les
gestes d'un acteur/une actrice que vous avez vu(e) ou bien au
théâtre ou au cinéma.   (8) A votre avis, est-ce que le père de
l'auteur avait raison?   (9) Les situations sont comiques,
d'accord—mais qu'est-ce qui les rend comiques?   (10) Relisez
le texte et puis donnez une description aussi détaillée que
possible du père de l'auteur.

III.   *Mettez le pronom disjonctif qui convient* :
    (1) Lève- . . . !   (2) Nous sommes sortis avec —— hier soir.
(3) ——, tu es bête!   (4) C'est —— qui l'avez dit.   (5) Qui
connaît la réponse à cette question?   ——.   (6) Ce ne sont pas
—— qui viennent.   (7) A qui est ce livre?   Ce livre est à ——.
(8) —— et —— nous ne sortons jamais le soir.   (9) ——, elle
ira à Paris ; —— ils iront certainement à Tours.   (10) Elle est
beaucoup plus intelligente que ——.

IV.   *Complétez les phrases suivantes* :
    (1) Je suis fâché qu'il ne —— pas sorti ce soir.   (2) Croyez-
vous qu'il —— perdu son livre?   (3) Pourvu qu'elle ne ——
pas arrivée avant nous!   (4) Il est fort probable qu'il ——
sorti.   (5) Je ne savais pas ce qu'il —— voulu dire.   (6) Il faut
que vous —— fini avant dix heures.   (7) Quoiqu'elle ne l' ——

pas fait je le lui pardonnerai. (8) Je suis heureux qu'ils —— voulu vous aider. (9) Croyez-vous qu'elles se —— levées trop tard pour venir? (10) Est-il probable que vous —— fini avant lui?

V. *Dictée*: le paragraphe qui commence "Un soir père décida de nous emmener au théâtre . . .".

VI. *Traduire en anglais*: "Mon père avait enfin trouvé la clef creuse qui lui paraissait convenable . . ." *jusqu'à la fin du texte*.

VII. *Traduisez en français*:
(1) He was growing tired. (2) I shall grow bored if I do nothing. (3) The door will be opened at twelve o'clock. (4) I am brushing my teeth. (5) Pears are sold at twenty francs a pound. (6) They used to see one another every day. (7) Did we meet one another in Paris? (8) You are mistaken, he will deceive you. (9) She began to sing. (10) I was wondering if he will ask for my book. (11) I was standing at the corner of the street, holding a book in my hand. (12) He stood up. (13) Turn round! He will return tomorrow. (14) He used to use my bicycle to go to the cinema. (15) Pass me the bread! I will do without butter. (16) She got up at six o'clock, washed her hands and then wondered where she was. (N.B. In the *Perfect Tense* as well, please!) (17) It is they who will serve the soup. (18) He is a doctor. His house is situated near the church. (19) Whoever he is I shall turn round. (20) Whatever she does she is mistaken.

VIII. *Traduisez en français*:
My father had little sympathy for what he did not understand. Not being bald himself, he said one day to a poor bald man: "Cover your head, sir! Am I showing my knees?"

We liked to go to the theatre and we usually went to a little theatre situated near the Boulevard Montparnasse. One night the play was atrocious! My father took a hollow key from his pocket, put it to his lips and began to whistle. Everybody stood up! Thunderstruck, the actress stopped! " Clear out!" shouted those in the gallery. " We have paid for our places," said my father, pale but smiling, " and we shall go when we like!" We left at the interval.

IX. (a) *Racontez l'incident au théâtre comme si vous étiez un des spectateurs.*

(b) *Vous êtes Raymond lui-même. Décrivez un peu vos " colères ".*

X. *Racontez quelques incidents comiques pareils dont vous avez été ou bien la cause ou bien le témoin.*

IX. **TOINE**

Il passa ses jours et ses nuits dans son lit. Il aurait fait rire
le diable, ce malin-là. Ça se peut-il? En voilà dix pour toi.
Il se mit à pousser des cris. Personne ne parlait plus. Il y en
a six. En voilà encore un. Ce fut un triomphe.

———————————

Son café avait pour enseigne : " Au rendez-vous des Amis ",
et il était bien, le père Toine, l'ami de toute la contrée. Il avait
une manière de blaguer les gens sans les fâcher. Et puis c'était
une curiosité rien que de le voir boire.

Or, il arriva un jour que Toine eut une attaque et tomba
paralysé. On le coucha dans la petite chambre derrière le
café, et on espérait, dans les premiers temps, que ses grosses
jambes reprendraient quelque énergie. Mais cet espoir dis-
parut bientôt, et Toine passa ses jours et ses nuits dans son lit.

Il demeura gai pourtant. Tout couché qu'il était, ce farceur
de Toine, il amusait encore les amis. Il aurait fait rire le diable,
ce malin-là. Seulement, la mère Toine devint bientôt insupportable. Elle ne pouvait point tolérer que son gros fainéant
d'homme ne travaillât plus pendant qu'elle, elle était occupée
toute la journée.

La voyant un jour plus exaspérée que de coutume, un client
du café lui dit :

—Hé! la mère! Savez-vous ce que je ferais, moi, si j'étais
vous?

Elle attendit qu'il s'expliquât.

Il reprit :

—Il est chaud comme un four, votre homme, qui ne sort
point de son lit. Eh bien, moi, je lui ferais couver des œufs.

Elle demeura stupéfaite, pensant qu'on se moquait d'elle.
Mais le paysan continua:

—J'en mettrais cinq sous un bras, cinq sous l'autre.

La vieille interdite demanda:

—Ça se peut-il?

L'homme reprit:

—Si ça se peut! Puisque on fait bien couver des œufs dans
une boîte chaude, on peut en mettre couver dans un lit.

Elle fut frappée par ce raisonnement et s'en alla, songeuse.

Huit jours plus tard elle entra dans la chambre de Toine
avec son tablier plein d'œufs. Et elle dit:

—Je viens de mettre la poule jaune au nid avec dix œufs.
En voilà dix pour toi. Tâche de ne point les casser.

Toine, éperdu, demanda:

—Qu'est-ce que tu veux?

Elle répondit:

—Je veux que tu les couves, propre à rien.

Il rit d'abord; puis, comme elle insistait, il se fâcha. Il
résista, il refusa résolument—mais il fut vaincu. Il dut couver,
il dut renoncer aux parties de domino, renoncer à tout mouvement de peur de casser un œuf. Il demeurait sur le dos, l'œil
au plafond, immobile. Il ne parlait plus qu'à voix basse
comme s'il eût craint le bruit autant que le mouvement.

Les gens du pays qui savaient l'histoire s'en venaient, curieux
et sérieux, prendre des nouvelles de Toine.

Or, un matin, sa femme entra très émue et déclara:

—La jaune en a sept. Il y avait trois œufs de mauvais.

Toine sentit battre son cœur. Combien en aurait-il, lui?

Vers trois heures de l'après-midi il s'assoupit. Il dormait
maintenant la moitié des jours. Il fut réveillé soudain par un
chatouillement inusité sous le bras droit. Il y porta aussitôt
la main gauche et saisit une bête couverte de duvet jaune, qui
remuait dans ses doigts.

Son émotion fut telle qu'il se mit à pousser des cris, et il

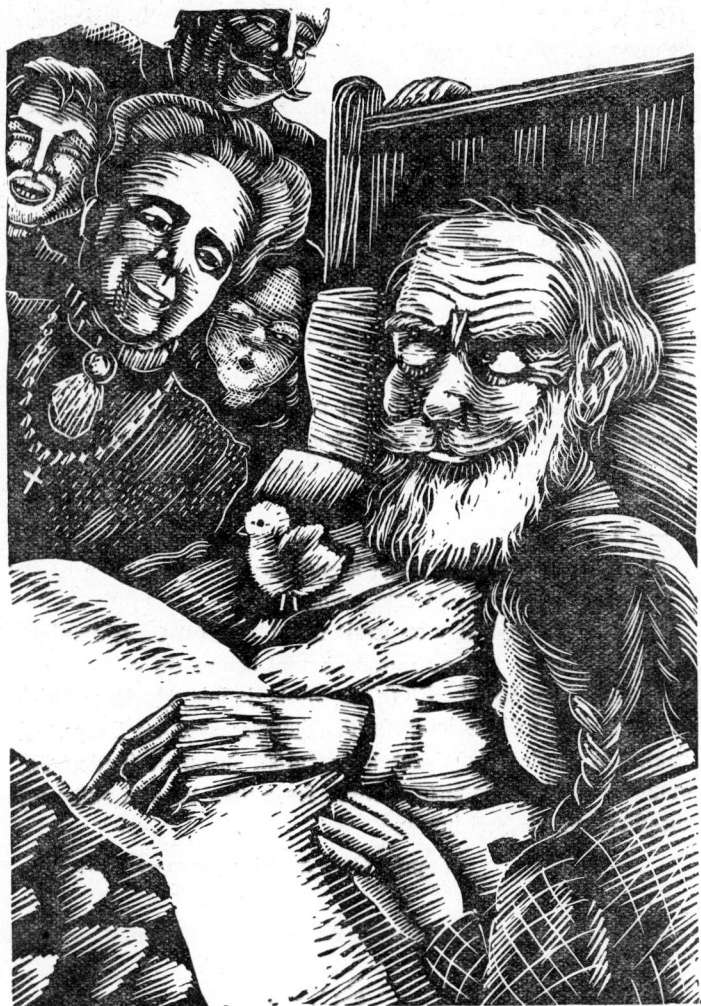

lâcha le poussin qui courut sur sa poitrine. Le café était plein de monde. Les buveurs se précipitèrent, envahirent la chambre et firent cercle autour du lit pendant que la mère Toine cueillit avec précaution la bête blottie sous la barbe de son mari. Personne ne parlait plus. C'était par un jour chaud d'avril. On entendait par la fenêtre ouverte glousser la poule jaune appelant ses nouveaux-nés.

Toine, qui suait d'émotion, d'angoisse, d'inquiétude, murmura :

—J'en ai encore un sous le bras gauche.

Sa femme plongea dans le lit sa grande main maigre, et ramena un second poussin.

Pendant vingt minutes il n'en naquit plus, puis quatre sortirent en même temps de leurs coquilles. Ce fut une grande rumeur parmi les assistants. Et Toine sourit, content de son succès. Il déclara :

—Ça fait six!

Un grand rire s'éleva dans le public.

—En voilà encore un! cria Toine.

Il s'était trompé, il y en avait trois! Ce fut un triomphe! Le dernier creva son enveloppe à sept heures du soir. Tous les œufs étaient bons! Et Toine, affolé de joie, glorieux, baisa sur le dos le frêle animal, faillit l'étouffer avec ses lèvres. Il voulut le garder dans son lit, celui-là, jusqu'au lendemain, mais la vieille l'emporta comme les autres sans écouter les supplications de son homme.

d'après GUY DE MAUPASSANT : *Toine.*

Locutions Utiles :
rien que de le voir boire
tout couché qu'il était
plus exaspéré que de coutume
si ça se peut !
il ne parlait plus qu'à voix basse
il se mit à pousser des cris
le café était plein de monde
personne ne parlait plus
par un jour chaud d'avril

Employez plusieurs de ces locutions dans des phrases différentes.

Grammaire :

I. Verb Drill :

je deviens insupportable pour mes amis	**devenir**
je devenais . . .	
je suis devenu . . .	
je deviendrais . . . si . . .	
je devins . . .	

je sors de mon lit à six heures le matin	**sortir**
je serais sorti . . . si . . .	
je sortis . . .	
je sortais régulièrement . . .	
Il fallait que je sortisse . . .	

je ris de bon cœur de ses bêtises	**rire—vouloir**
je rirai bien demain	
j'ai bien ri hier au théâtre	
je riais comme un bossu quand . . .	
quoique je rie je ne lui veux pas de mal	

je cueille une belle fleur	**cueillir**
je cueillerai pour vous des fleurs	
je cueillis toutes sortes de fleurs à . . .	
j'ai cueilli ce qu'il y avait à cueillir	
je cueillais cette fleur quand . . .	

je m'en vais, rêveur	**s'en aller**
je m'en irai, . . .	
je m'en suis allé, . . .	
croyez-vous que je m'en aille . . .	
si je m'en allais tu . . .	

II. The Past Anterior—Le Passé Antérieur:

This is the last tense you have to learn and it is simple to form:

finir	arriver	se lever
j'eus fini	je fus arrivé	je me fus levé
tu eus fini	tu fus arrivé	tu te fus levé
il eut fini	il fut arrivé	il se fut levé
nous eûmes fini	nous fûmes arrivés	nous nous fûmes levés
vous eûtes fini	vous fûtes arrivés	vous vous fûtes levés
ils eurent fini	ils furent arrivés	ils se furent levés

How then is it formed?

Like the PLUPERFECT tense it translates the English " HAD ".

And it is used in certain circumstances to replace the Pluperfect:

Use it after the conjunction of TIME :	QUAND, LORSQUE DÈS QUE, AUSSITÔT QUE APRÈS QUE

when the main verb is in the **Passé Historique**

e.g. Il *partit q*uand le professeur *eut* fini de parler

Il s'en *alla* après qu'ils *furent* arrivés

Ils *mangèrent* aussitôt qu'ils se *furent* levés

III.   IDIOMATIC USES OF "FAIRE":

(1)   Il *fait* beau temps
      Il *fait* du brouillard   Weather.

(2)   Je *fais* travailler mes élèves
      Je *lui fais* ouvrir la porte   To make one do
                                           something.

(3)   Je *fais* bouillir l'eau
      Je *fais* cuire la viande
      Je *fais* bâtir une maison   i.e. I don't really do it
                                              myself.

N.B.   Je ME *fais* bâtir une maison—translate and conjugate.

(4)   Il *fait* le riche/le pauvre/le malade, etc.

                    He *pretends* to be rich/poor/ill, etc.

N.B.   Il *fait* semblant d'être malade = he *pretends* to be ill.
Drill this. What does prétendre mean? e.g. The Young
Pretender?

(5)   Je *fais* venir le docteur = to summon, fetch.
      Fais-le entrer! Show him in!
                sortir!   ?
                monter!   ?
                descendre!   ?

(6)   Il ne *fait* que jouer = he does nothing but play.
                chanter
                travailler

IV.   Revoir l'emploi de l'article partitif (page 2).

EXERCICES:

I.   (1) Comment s'appelait le café du père Toine? (2) Est-
ce qu'il buvait beaucoup? (3) Pourquoi la mère Toine devint-
elle insupportable? (4) Quelle recommandation le paysan fit-il
à la mère Toine? (5) Avec combien d'œufs avait-elle mis la
poule jaune au nid? (6) Pourquoi le père Toine dut-il renoncer

aux parties de domino? (7) Où est né le premier poussin du père Toine? (8) Combien y en a-t-il en tout qui sont nés avec le père Toine? (9) A quelle période de l'année cet incident s'est-il passé? (10) A quelle heure est né le dernier des poussins du père Toine?

II. (1) Donnez une description assez nette et précise du père Toine. (2) Faites la même chose pour la mère Toine. (3) Par quels moyens l'auteur nous rend-il Toine un personnage sympathique? (4) Et par quels moyens nous rend-il la mère Toine peu sympathique? (5) Qu'est-ce qui rend l'histoire comique? (6) Choisissez les adjectifs dont se sert l'auteur et que vous pourriez dire " frappants ". (7) Par quels moyens l'auteur nous fait-il comprendre que tout ceci se passe en pleine campagne? (8) La mère Toine avait-elle raison de ne pas laisser le tout dernier poussin dans le lit de son mari? (9) Qu'est-ce qui rend l'histoire pathétique? (10) On a dit que Maupassant savait très bien décrire l'avarice paysanne. Etes-vous d'accord?

III. *Dans les phrases suivantes mettez l'article qui convient:*
(1) Je n'ai pas beaucoup —— pain. (2) Il n'y a pas —— pain. Je m'en passe. (3) —— chien est —— animal domestique. (4) J'ai mis —— vin sur la table. (5) Tu veux —— poires? Je n'ai que —— pommes. (6) Combien —— argent avez-vous? (7) Il buvait une tasse —— thé. (8) Il y a —— belles poires dans cette boutique-ci. (9) La plupart —— élèves parlent français. (10) Avez-vous vu —— poussins?

IV. *Dans les phrases suivantes mettez ou bien le Plus-que-Parfait ou bien le Passé Antérieur:*
(1) Je n'ai pas dit qu'il —— mangé toutes les pommes. (2) Il sortit quand elle —— tout mangé. (3) Avant de s'asseoir elle —— ouvert la fenêtre. (4) C'est en me levant que j' —— remarqué qu'il n'était plus là. (5) Il chanta seulement après

qu'elle —— sortie. (6) Nous —— sortis quand elle entra. (7)
Elle entra quand nous —— sortis. (8) Ils sortirent de la maison
aussitôt qu'elle les —— fait monter. (9) Ils —— bien ri en
écoutant cette triste histoire. (10) Quand mon père —— sorti
de sa poche sa clef creuse il y siffla de toutes ses forces.

V. *Traduisez en français:*
  (1) It was sunny yesterday. (2) She was boiling the water.
(3) I shall pretend to be ill tomorrow. (4) He claims to be the
first in his class. (5) Fetch the doctor! (6) Show her up! (7)
He will build himself a house. (8) I made them go to the
cinema. (9) He made his uncle work. (10) If we meet one
another we shall do nothing but play. (11) They left when
she had finished singing. (12) Give me some bread; he has
some. (13) Make him ask for some bread. (14) I have no
desire to build a house. (15) If he were dying of hunger I would
make him work. (16) He went out when I had eaten the
apple. (17) I would show her in if you were not pretending to
be ill. (18) Nobody spoke any more. (19) If I had finished this
letter I would boil the water. (20) She was cooking the meat
when I showed him in.

VI. *Dictée:* le dernier paragraphe du texte.

VII. *Traduire en anglais le paragraphe* " Son émotion fut
      telle ... la poule jaune appelant ses nouveaux-nés."

VIII. *Traduire en français:*
  Toine would have made the devil laugh but he drank too
much. When he fell ill he had to pass his days and nights in
bed in a little room behind the café. His wife made him hatch
out some eggs. He had refused to do it but he was conquered.
He had to spend all the day on his back, motionless, and he

spoke only in a low voice. Yet he was delighted and began to shout aloud when the first chicken ran about on his chest. There were ten born. He wanted to keep the last one in his bed but his wife carried it off with the others. Poor Toine!

IX.   *La mère Toine raconte cette histoire à une de ses amies.*

X.   (a)   *Décrivez ce qui se passe autour du lit du père Toine comme si vous aviez été un des spectateurs, un des clients du café.*

(b)   *Racontez* très simplement—*comme Guy de Maupassant—un autre incident comique qui se passe à la campagne.*

GUY DE MAUPASSANT.

X. LA MORT DE CARMEN

Elle se tint immobile. Je t'en prie, sois raisonnable. Je lui pris les mains. A présent, je n'aime plus rien. J'aurais voulu qu'elle eût peur. Je lui offris tout. Elle tira de son doigt une bague. Elle la jeta dans les broussailles. Peut-être ai-je eu tort.

———————————

Elle ôta sa mantille, la jeta à ses pieds, et se tint immobile un poing sur la hanche, me regardant fixement.

—Tu veux me tuer, je le vois bien, dit-elle ; c'est écrit, mais tu ne me feras pas céder.

—Je t'en prie, lui dis-je, sois raisonnable. Ecoute-moi ! tout le passé est oublié. Pourtant, tu le sais, c'est toi qui m'as perdu ; c'est pour toi que je suis devenu un voleur et un meurtrier. Carmen ! ma Carmen ! laisse-moi te sauver et me sauver avec toi.

—José, répondit-elle, tu me demandes l'impossible. Je ne t'aime plus ; toi, tu m'aimes encore, et c'est pour cela que tu veux me tuer. Je pourrais bien encore te faire quelque mensonge ; mais je ne veux pas m'en donner la peine. Tout est fini entre nous. Tu as le droit de me tuer, mais Carmen sera toujours libre.

—Tu aimes donc Lucas ? lui demandai-je.

—Oui, je l'ai aimé, comme toi, un instant, moins que toi peut-être. A présent, je n'aime plus rien, et je me hais pour t'avoir aimé.

Je me jetai à ses pieds, je lui pris les mains, je les arrosai

129

de mes larmes. Je lui rappelai tous les moments de bonheur que nous avions passés ensemble. Je lui offris de rester brigand pour lui plaire. Tout, monsieur, tout ; je lui offris tout, pourvu qu'elle voulût m'aimer encore !

Elle me dit :

—T'aimer encore, c'est impossible.

La fureur me possédait. Je tirai mon couteau. J'aurais voulu qu'elle eût peur et me demandât grâce, mais cette femme était un démon.

—Pour la dernière fois, m'écriai-je, veux-tu rester avec moi ?

—Non ! non ! non ! dit-elle en frappant du pied.

Et elle tira de son doigt une bague que je lui avais donnée, et la jeta dans les broussailles.

Je la frappai deux fois. C'était le couteau de Borgne que j'avais pris, ayant cassé le mien. Elle tomba au second coup sans crier. Je restai anéanti une bonne heure devant ce cadavre. Puis, je me rappelai que Carmen m'avait dit souvent qu'elle aimerait à être enterrée dans un bois. Je lui creusai une fosse avec mon couteau, et je l'y déposai. Je cherchai longtemps sa bague et je la trouvai à la fin. Je la mis dans la fosse auprès d'elle, avec une petite croix. Peut-être ai-je eu tort. Ensuite je montai sur mon cheval, je galopai jusqu'à Cordoue, et au premier corps-de-garde je me fis connaître. J'ai dit que j'avais tué Carmen ; mais je n'ai pas voulu dire où était son corps. L'ermite était un saint homme. Il a prié pour elle. Il a dit une messe pour son âme . . . Pauvre enfant !

PROSPER MÉRIMÉE : *Carmen.*

LOCUTIONS UTILES :
tu ne me feras pas céder
je t'en prie, sois raisonnable
je ne veux pas m'en donner la peine

je lui pris les mains
peut-être ai-je eu tort
je me fis connaître

Employez plusieurs de ces locutions dans des phrases différentes.

GRAMMAIRE:

I. VERB DRILL:

je me hais pour t' avoir aimé   **(se) haïr**
je me haïssais pour . . .
je me haïrai pour . . .
je me suis haï pour . . .
je me haïs pour . . .

je me jette à tes pieds   **(se) jeter**
je me jetterai . . .
je me suis jeté . . .
je me jetai sur . . .
je me jetais dans le lac quand . . .

je lui offre un sauf-conduit   **offrir**
je t'offrirai . . .
je vous ai offert de . . .
je leur offris de . . .
je lui offrais de . . .

je connais cet homme-là   **connaître**
je connaissais la suite de l'histoire
j'ai connu un homme qui . . .
je connaîtrai ce qu'il faudra lire

peut-être ai-je tort   **avoir**
peut-être aurai-je raison de . . .
peut-être avais-je raison de . . .
peut-être ai-je eu tort de . . .
j'aurais peut-être tort si . . .
j'eus peut-être raison de . . .

II.   Revoir la formation et l'emploi de l'Impératif (page 22).

III.   Revoir les verbes irréguliers en " -er " (page 21).

IV.   Revoir l'accord du participe passé (page 28).
cf.   " tous les moments que nous avions passéS ensemble "
      " elle aimerait à être enterréE dans un bois "

V.   RULES FOR INVERSION :
   It is now time to classify all the cases when verb and subject
are inverted, e.g. :
           " Vous êtes stupide ! " dit *Paul*.

   (1)   As in the above example—after a quotation :
              " Je suis intelligent," vous dis-*je*.

   (2)   Où allez-*vous*?   Que faites-*vous*?
                     In a question.

   (3)   Je ne sais pas *ce que* faisait *Paul*.
         J'ai trouvé le livre *que* cherchait *Paul*.
         Je n'ai pas voulu dire *où* était *son corps*.
i.e. after a relative pronoun that is dependent on the *noun*
subject. BUT :—
      You MUST NOT invert a *pronoun* subject—e.g.
              Je ne sais pas ce qu'*il* faisait.
              J'ai trouvé le livre qu'*il* cherchait.

(4)   Peut-être viendra-t-*il* demain.
       Peut-être ai-*je* eu tort.   With *peut-être*.
       Peut-être QU'il viendra demain.
       Peut-être QUE j'ai eu tort.
  BUT—you MUST NOT invert a *noun* subject—e.g.
           Peut-être QUE Pierre viendra demain.
           Peut-être Pierre viendra-t-*il* demain.

(5)   A peine ai-*je* eu le temps de le faire.
       A peine fut-*elle* rentrée qu'il se rassit.
                       With *à peine* = scarcely
  BUT—You MUST NOT invert a *noun* subject—e.g.
           A peine Carmen fut-*elle* rentrée qu'il se rassit.

(6)   Telle fut *ma réponse*
       Tel est *Pierre*.   With tel(le) = such.
N.B.   Tel père, tel fils —— Meaning?

(7)   After the words:
       au moins   ⎫
       du moins   ⎬   at least
       en vain   ⎭   ?
       ainsi   thus
  Do not invert a *noun* subject. Give examples.

(8)   With the following idiomatic expressions:
       (a)   Mon ami ne m'a pas réveillé, aussi suis-*je* en retard.
                       (Aussi = and so, therefore.)
       (b)   Je suis fatigué mais *toujours* ai-*je* fait mes devoirs.
                       Toujours = at any rate, all the same.)
N.B.   *Toujours est-il que* je suis malade = the fact remains
       that I am ill.

  You MUST NOT invert a *noun* subject. Give examples.

EXERCICES :

I.   (1) Qu'est-ce que Carmen jeta aux pieds de José?   (2)
Qu'est ce que José est devenu à cause de Carmen?   (3) Carmen
aime-t-elle Lucas?   (4) Qu'est-ce qu'elle fit avec la bague que
José lui avait donnée?   (5) Combien de fois José la frappa-t-il
avec son couteau?   (6) Est-ce que c'était *son* couteau?   (7) Où
Carmen aurait-elle aimé à être enterrée?   (8) Qu'est-ce que José
mit dans la fosse de Carmen?   (9) Comment José est-il arrivé à
Cordoue?   (10) Que fit l'ermite pour Carmen?

II.   (1)   José, est-il vraiment triste d'avoir fait ce qu'il a fait?
      (2)   Est-il à blâmer ou à louer?
      (3)   Qu'est-ce qui prouve qu'il aimait sincèrement
            Carmen?
      (4)   Relevez quelques phrases qui rendent cette histoire
            à la fois triste et pathétique.
      (5)   Imaginez comment sont habillés José et Carmen.

III.   *Donnez les trois formes de l'impératif pour les expressions*
         suivantes:
         (1) se coucher tard.   (2) être raisonnable.
         (3) avoir pitié du vieillard.   ·   (4) m'en donner
                     (5) me la donner
               Mettez-les maintenant au négatif.

IV.   *Dans les phrases suivantes mettez le verbe au Présent de*
      l'Indicatif, à l'Imparfait, au Futur, au Parfait:
   (1) Ils (se lever) à six heures. (2) Tu (répéter) mal ta leçon.
(3) Nous (s'essuyer) les pieds avant d'y entrer. (4) Nous
(manger) toujours du fromage le soir. (5) Il (épeler) mal son
nom.

V.   *Dictée:…" Je me jetai à ses pieds . . . et elle tira de son*
      doigt une bague que je lui avais donnée, et la jeta dans
      les broussailles."

K

VI. *Traduire en anglais le dernier paragraphe du texte.*

VII. *Traduisez en français*:
(1) Where are you going? Where is Paul going? (2) I am not going there, I tell you. (3) Do you know what Paul saw at the cinema? (4) Thus died Carmen. (5) Do you know what he saw? (6) He will scarcely have the time to open the window. (7) Perhaps you will come tomorrow? (8) Perhaps the master will come? (9) Where is the book that Paul was looking for? (10) Such a man is happy—like father like son. (11) He hasn't a book but he is doing his homework all the same. (12) At least he is coming tomorrow. (13) She has gone but he is there all the same. (14) They have gone out and so I shall stay at home. (15) Do you know what Paul was reading? (16) She has washed herself. She has washed her hands. (17) She was buried in the wood. (18) Perhaps she has come. (19) She has died in vain. (20) Here is the ring which I gave him.

VIII. *Traduisez en français:*
When Carmen said that she loved José no more, that all was finished between them and that he had the right to kill her, he offered her everything provided she would still love him. But she refused and so he killed her. He dug a grave for her in the wood and buried her there with a little cross and the ring which he had given her. Perhaps he was wrong. However the fact is that he galloped to Cordova and made himself known. He said he had killed Carmen but he did not say where her body was.

IX. *Vous êtes l'officier à qui José s'est fait connaître après la mort de Carmen. Racontez l'histoire.*

X. *Racontez très simplement un épisode tiré d'un film que vous avez récemment vu.*

CHOIX DE POEMES

Un peu d'humour:

(1) LE ROI BOITEUX

Un roi d'Espagne ou bien de France
Avait un cor, cor au pié.
C'était au pied gauche, je pense;
Il boitait à faire pitié.

Les courtisans, espèce adroite,
S'appliquèrent à l'imiter,
Et, qui de gauche, qui de droite,
Ils apprirent tous à boiter.

On vit bientôt le bénéfice
Que cette mode rapportait,
Et de l'antichambre à l'office
Tout le monde boitait, boitait.

Un jour, un seigneur de province,
Oubliant son nouveau métier,
Vint à passer devant le prince,
Ferme et droit comme un peuplier.

Tout le monde se mit à rire,
Excepté le roi, qui, tout bas,
Murmura : " Monsieur, qu'est-ce à dire?
Je crois que vous ne boitez pas.

—Sire, quelle erreur est la vôtre!
Je suis criblé de cors; voyez:
Si je marche plus droit qu'un autre,
C'est que je boite des deux pieds."

GUSTAVE NADAUD

(2) BRUIT DE VOIX

Tu as eu tort! Tu as eu tort! Je te répète
que tu as eu grand tort! . . . Et tu le sais très bien! . . .
Oui, mais voilà; tu n'en veux faire qu'à ta tête! . . .
Oh! ne pleure pas, va! Ça n'arrangera rien.
Bois ton thé. Que ce soit fini! . . . Voilà deux heures
que nous perdons à batailler, à discuter.
Bois ton thé. Parlons d'autre chose. . . . Bois ton thé! . . .
Je te préviens que je m'en vais, moi, si tu pleures! . . .
Mais qu'est-ce que j'ai dit? Mais qu'est-ce que tu as?
Eh bien, soit! c'est moi qui ai tort, là! grand tort même . . .
Et maintenant essuie tes yeux. . . . Mais oui, je t'aime!
Tu le sais bien! . . . Mais, nom de Dieu! ne pleure pas! . . .

Tu dis? . . . Je t'ai fait mal? . . . Je ne t'ai pas touchée! . . .
Où ça t'ai-je fait mal? . . . Allons, embrasse-moi,
et que ce soit fini! . . . Là. Tu n'es plus fâchée?
Alors ne boude plus! . . . Bois ton thé. . . . Allons bois! . . .
Tu mettras de la poudre un peu plus tard. . . . Tu m'aimes?
C'est sûr? . . . Prends mon mouchoir: le tien est tout
                                                mouillé.
Qu'est-ce que vous voulez encore? . . . Un peu de crème?
Un nuage? . . . Voilà, Madame. . . . Vous voyez
j'ai beau crier très fort, c'est toujours moi qui cède! . . .
Vous avez vos grands yeux tout gonflés, tout ternis,
tout rouges. Voulez-vous sourire? Hou! Qu'elle est laide!
Allons! Embrassez-moi. Là. Voilà. C'est fini.

PAUL GERALDY

(3) REVERIE D'AUTOMNE

Monsieur le professeur est assis
Sur le banc vert du jardin anglais
Et tourne ses pouces d'encre noircis
Sur son gilet usé à ramages violets.

L'automne mélancolique, ce soir,
Commence à rouiller les feuilles sans sève :
Monsieur le professeur les regarde choir
Une à une, et rêve.

Monsieur le professeur a des lunettes d'or
Sur son nez long d'une aune,
Et des fils d'argent dans ses cheveux jaunes
Et multicolores.

Et pourtant monsieur le professeur fut jeune homme
Probablement, rose au jabot, sourire aux lèvres ;
Mais maintenant monsieur le professeur rêve
Et contemple le soir d'automne.

Monsieur le professeur songe à madame Rose
Sa ménagère an teint rosé de frais lilas ;
Monsieur le professeur rêve et pose
Dans le creux de sa main son front las.

Un espiègle tire son mouchoir à fleurs ;
Un air suranné d'épinette s'achève ;
Au fond du vieux jardin anglais le jet d'eau pleure :
Monsieur le professeur rêve. . . .

TRISTRAN KLINGSOR

(4)   LA BLANCHE NEIGE

Les anges les anges dans le ciel
L'un est vêtu en officier
L'un est vêtu en cuisinier
Et les autres chantent

Bel officier couleur du ciel
Le doux printemps longtemps après Noël
Te médaillera d'un beau soleil
        D'un beau soleil

Le cuisinier plume les oies
Ah! tombe neige
Tombe et que n'ai-je
Ma bien-aimée entre mes bras.

GUILLAUME APOLLINAIRE

(Librairie Gallimard, tous droits réservés).

B. Héroïsme:

(1) JEANNE D'ARC

Dans tes beaux habits du dimanche,
Pourquoi quittes-tu Domrémy?
—Je veux dans une armure blanche
De France chasser l'ennemi.

—Mais les Anglais, pauvre bergère,
Sont nos vainqueurs depuis longtemps!
—Ce que les hommes n'ont pu faire,
Moi, bergère, je l'entreprends.

—Comme une âme simple tu parles,
Jeanne, tu n'as que dix-huit ans.
—Je ferai sacrer le roi Charles
Quand je reviendrai d'Orléans.

O, Jeanne d'Arc, humble bergère,
Blanche sur son blanc palefroi,
Commanda les hommes de guerre
Et rendit son royaume au roi.

De la colline et de la plaine
Le Français chassa l'ennemi;
Mais jamais la vierge lorraine
N'est revenue à Domrémy.

OCTAVE AUBERT

(*Le Livre Bleu et Rose*—Fernand Nathan, Editeur, Paris).

(2) LES DEUX BLESSÉS

Ils s'étaient bien battus, chacun pour sa patrie,
Et maintenant, la chair déchirée et meurtrie,
Ils gisaient là, le Russe et le Français, mourants!
La plaine et le silence alentour étaient grands.
Tous deux, un même mot différent sur leur lèvre
Se regardaient mourir de leurs yeux pleins de fièvre,
Sans pouvoir échanger l'adieu ni le secours.
Les heures se passaient, ils respiraient toujours.
Ils s'endormirent, seuls, sous la nuit glaciale.
Au milieu de la nuit, levant sa tête pâle,
L'un des deux regarda l'autre : l'autre était mort.
Mais avant de mourir, par un sublime effort,
Pensant qu'il n'avait plus nul besoin pour lui-même,
Car rien ne le pouvait sauver du froid suprême,
Et que l'autre,—qui sait?—s'il allait au matin,
Pourrait revoir sa mère et son pays lointain,
Il avait doucement mis son manteau de guerre
Sur l'homme avec lequel il se battait naguère,
Dont sa grande pitié lui faisait un ami,
Et, content de lui-même, il s'était rendormi.

JEAN AICARD
(Autorisé par Librairie Delagrave).

C. Nature

(1) AUTOMNE

Dans le brouillard s'en vont un paysan cagneux
Et son bœuf lentement dans le brouillard d'automne
Qui cache les hameaux pauvres et vergogneux

Et s'en allant là-bas le paysan chantonne
Une chanson d'amour et d'infidélité
Qui parle d'une bague et d'un cœur que l'on brise
Oh! l'automne l'automne a fait mourir l'été
Dans le brouillard s'en vont deux silhouettes grises.

GUILLAUME APOLLINAIRE

(2) LE VILLAGE A MIDI

Le village à midi. La mouche d'or bourdonne
        entre les cornes des bœufs.
        Nous irons, si tu le veux,
si tu veux, dans la campagne monotone.

Entends le coq . . . Entends la cloche . . . Entends le
            paon . . .
        Entends là-bas, là-bas, l'âne . . .
        L'hirondelle noire plane.
Les peupliers au loin s'en vont comme un ruban.

Le puits rongé de mousse! Ecoute sa poulie
        qui grince, qui grince encor,
        car la fille aux cheveux d'or
tient le vieux seau tout noir d'où l'argent tombe en pluie.

La fillette s'en va d'un pas qui fait pencher
        sur sa tête d'or la cruche,
        sa tête comme une ruche,
qui se mêle au soleil sous les fleurs du pêcher.

Et dans le bourg voici que les toits noircis lancent
        au ciel bleu des flocons bleus;
        et les arbres paresseux
à l'horizon qui vibre à peine se balancent.

                          FRANCIS JAMMES

D. Epitaphe:

Celui qui ci maintenant dort
Fit plus de pitié que d'envie,
Et souffrit mille fois la mort
Avant que de perdre la vie.
Passant, ne fais ici de bruit,
Prends garde qu'aucun ne l'éveille;

Plate V. *Un village français—Mont, au centre de la France.*

ANATOLE FRANCE

GUSTAVE FLAUBERT

GEORGES DUHAMEL

FRANCIS JAMMES

Car voici la première nuit
Que le pauvre Scarron sommeille.

PAUL SCARRON

Notes sur les Poèmes

A.

(1) GUSTAVE NADAUD (1820–1893): musicien et chansonnier
né à Roubaix. Quelques-unes de ses chansons badines—
telles que celle-ci—sont restées très populaires.

A quel pied le roi avait-il un cor?
De quel pays était le roi?
Qu'est-ce que les courtisans apprirent à faire?
Pourquoi se mit-on à rire du seigneur de province?
Quelle excuse le seigneur de province donna-t-il pour
   expliquer sa façon de marcher?

In a sense this poem can be called a fable? What does that
mean? What is the moral of the story?

Invent a similar " fable " yourself drawing your illustration
from modern happenings.

(2) PAUL GERALDY (1885–   ): le poète de l'amour de notre
siècle.

A delicious satire—it is a quarrel overheard between
husband and wife.

Why is it amusing?

What sentences in the poem reveal to you that it is modern?

N.B. " j'ai beau crier très fort "—it is no use my shouting out
   aloud.

   avoir beau = to be of no use, to be of no avail
   J'ai beau chanter, personne ne m'écoute!
                Invent other examples.

Inventez une conversation au téléphone—il n'y a qu'une
personne qui parle!

Plate VI. *Quatre écrivains français, dont l'œuvre paraît
dans ce livre.*

(3) TRISTRAN KLINGSOR (1874–   ): peintre, musicien, poète fantaisiste, né à La Chapelle.

> Décrivez monsieur le professeur.
> A qui songe-t-il?
> Comment le professeur rêve-t-il?
> Qu'est-ce qu'il y a au fond du vieux jardin?
> Mentionnez les vers qui vous montrent que c'est vraiment l'automne.

(4) GUILLAUME APOLLINAIRE (1880–1918): mort à cause de blessures reçues à la guerre de 1914–1918—un poète fantaisiste, surréaliste.

> Comment sont vêtus les anges dans le ciel?
> Que font-ils?
> Que fait le cuisinier?
> De quoi, d'après le poète, est faite la neige qui tombe?

B.

(1) OCTAVE AUBERT

> Pourquoi Jeanne d'Arc quitte-t-elle Domrémy?
> Quel âge a-t-elle?
> Comment est-elle vêtue?   Sur quoi est-elle assise?
> Qu'est-ce qu'elle fera pour le roi Charles?   Quand?
> Est-ce qu'elle tint sa promesse?

(2) JEAN AICARD (1848–1921): poète et auteur dramatique né à Toulon.

> De quelle nationalité étaient les deux soldats?
> Où gisaient-ils?
> Quel temps faisait-il?

Qu'avait fait l'un des deux soldats avant de mourir?
   Pourquoi?

Vous êtes le survivant. Racontez très simplement
   l'aventure qui vous est arrivée.

C.

(1)   GUILLAUME APOLLINAIRE.

   Quelles sont les deux silhouettes grises qui s'en vont dans le
brouillard?
      Que fait le paysan?
      Que cache le brouillard?
      De quoi parle la chanson?
      Qu'est-ce que l'automne a fait?
   Faites un poème pour le printemps—ou pour l'hiver.

(2)   FRANCIS JAMMES (1868–1938): poète du pays basque.
      Quels sont les sons qu'on entend à la campagne?
      Que fait la fillette aux cheveux d'or?
      Décrivez un peu le puits.
      Quels animaux voit-on dans ce village?
      Et quels oiseaux? Et quels arbres?

   Décrivez un village que vous connaissez.

D.

PAUL SCARRON (1610–1660): Un poète maladif qui
dormait toujours mal.
      Pourquoi le passant ne doit-il pas faire de bruit?
      Et qu'est-ce que personne ne doit faire?

XI. L'OMBRE

Ils me faisaient une sorte de peur. Il fut fendu du haut en bas par la foudre. Il alla se cacher dans le creux de cet arbre. Elle jeta un fagot dans l'âtre. Je vis ce que je n'oublierai jamais. Il n'y avait personne dans la chambre. Le chapelet ne lui servit de rien. Elle ne m'en dit pas davantage.

Les arbres qui bordaient la route fuyaient à mes côtes comme des ombres difformes et douloureuses dans la nuit. Ils étaient horribles, ces arbres noirs, la tête coupée, couverts de tumeurs et de plaies, les bras tordus. Ils me faisaient une sorte de peur ; car un de ces arbres, un de ces vieux mutilés, un châtaignier étêté depuis plus de deux cents ans et creux comme une tour, fut fendu du haut en bas par la foudre, le 24 février 1849. Alors à travers la fente, on vit dedans un squelette d'homme qui se tenait debout, ayant à son côté un fusil et un chapelet. Sur une montre trouvée aux pieds de cet homme, on lut le nom de Claude Nozière. Ce Claude, grand-oncle de mon père, fut de son vivant contrebandier et brigand. En 1794, blessé grièvement, poursuivi, traqué par les *bleus*, il alla se cacher et mourir dans le creux de cet arbre. Ni amis ni ennemis ne surent ce qu'il était devenu ; et c'est un demi-siècle après sa mort que le vieux brigand fut exhumé par un coup de tonnerre.

Je songeais à lui, en voyant fuir les arbres des deux côtés du chemin, et j'allongeais l'allure de mon cheval. Il faisait noir quand j'arrivai à Saint-Jean.

J'entrai dans l'auberge, dont l'enseigne faisait grincer tristement sa chaîne au vent, dans l'ombre. J'entrai dans la salle basse et me jetai dans un vieux fauteuil à oreilles, au coin de la cheminée. A la clarté de la flamme, je pus voir le visage de mon hôtesse. C'était celui d'une horrible vieille. Sur sa face, on ne voyait qu'un nez rongé et des yeux morts dans des paupières sanglantes. Elle m'examinait avec défiance, comme un étranger. C'est pourquoi je lui dis, pour la rassurer, mon nom qu'elle devait bien connaître. Elle répondit, en secouant la tête, qu'il n'y avait plus de Nozière. Puis, elle jeta un fagot dans l'âtre et sortit.

J'étais triste et las, et tourmenté d'une angoisse indicible. Je m'assoupis un moment. Quand, au bout de quelques minutes, je rouvris les yeux, je vis ce que je n'oublierai jamais, je vis distinctement, au fond de la chambre, sur le mur blanchi à la chaux, une ombre immobile; c'était l'ombre d'une jeune fille. Le profil en était si doux, si pur et si charmant, que je sentis, en le voyant, toute ma fatigue et toute ma tristesse se fondre en un sentiment d'admiration.

Je la contemplai, ce me semble, pendant une minute. Je tournai ensuite la tête pour voir celle qui faisait une si belle ombre . . . Il n'y avait personne dans la chambre—personne que la vieille cabaretière occupée à mettre une nappe blanche sur la table.

De nouveau je regardai le mur: l'ombre n'y était plus.

—La mère; dis-je, la mère! qui donc était là tout à l'heure?

Mon hôtesse, surprise, me dit qu'elle n'avait vu personne.

Je courus à la porte. La neige, qui tombait abondamment, couvrait le sol, et aucun pas n'était marqué dans la neige.

—La mère! vous êtes sûre qu'il n'y a point une femme dans la maison?

Elle répondit qu'il n'y avait qu'elle.

—Mais cette ombre? m'écriai-je.

Elle se tut.

—Elle était là, là, vous dis-je!

La vieille s'approcha, une chandelle à la main, et arrêta sur moi ses horribles yeux sans regard, puis :

—Je vois bien à cette heure, dit-elle, que vous ne me trompez pas, et que vous êtes un Nozière. Vous voyez tous une femme que personne ne voit. Il faut croire que c'est une punition de Dieu sur toute la famille pour la faute de Claude, le brigand.

—Parlez-vous, lui-dis-je, de Claude, dont le squelette fut trouvé dans le tronc creux d'un châtaignier, avec un fusil et un chapelet?

—Mon jeune monsieur, le chapelet ne lui servit de rien. Il s'était damné pour une femme.

La vieille ne m'en dit pas davantage. Je pus à peine goûter le pain, les œufs, le lard et le cidre qu'elle me servit. Mes yeux se tournaient sans cesse vers le mur où j'avais vu l'ombre. Oh! je l'avais bien vu!

d'après ANATOLE FRANCE : *Le Livre de Mon Ami*

(Autorisé par Calmann-Lévy, Editeurs).

LOCUTIONS UTILES :

ils me faisaient une sorte de peur

fendu du haut en bas

ni amis ni ennemis ne surent ce qu'il était devenu

un coup de tonnerre

un mur blanchi à la chaux

je songeais à lui

le profil en était si doux

l'ombre n'y était plus

tout à l'heure

aucun pas n'était marqué dans la neige

il n'y avait qu'elle

une chandelle à la main

le chapelet ne lui servit de rien

elle ne m'en dit pas davantage

je pus à peine goûter le pain

Employez plusieurs de ces locutions dans des phrases différentes.

———————

GRAMMAIRE :

I. VERB DRILL :

je fuis la haine de mon prof	**fuir—voir**
je fuyais un chien énorme	
si je le voyais je fuirais le diable	
j'ai fui la maison hier soir	

je me tiens à votre entière disposition	**(se) tenir**
je tenais à la main . . .	
je tiendrai à le voir demain	
je tiens à le voir	
j'ai tenu ma promesse de venir	

je lis à haute voix ce poème   **lire**
je lirai à haute voix . . .
je lisais à voix basse quand . . .
j'ai lu ce roman policier
je lus ce qu'il avait écrit

je cours vite pour ne pas arriver en retard   **courir**
je courrai vite pour gagner du temps
je courais de toutes mes forces vers . . .
je courus à la porte
j'ai couru comme si le diable était à mes
    trousses

je sers la soupe   **(se) servir**
je me servirai de cette plume-ci
je ne lui servis de rien
j'ai servi plusieurs fois comme interprète
je servais à faire enrager mon prof

II.   Revoir l'emploi du négatif (pages 4 et 40).

III. IDIOMATIC USES OF VERBS:

  (1) **servir:**

    (a) La bonne *sert* la soupe. (*servir* = to serve)

    (b) Une plume *sert à* écrire. (*servir à* = to be used for)

    (c) Mon oncle me *sert de* père. (*servir de* = to serve as)

    (d) Je *me sers d'*une plume pour écrire. (*se servir de*
                                       = to use

N.B. *user* = to wear out: j'ai usé mes souliers à marcher
      dans les montagnes.
      user de = to use: il use d'une plume (not very common).

L

(2) **tenir:**

    (a) Je tiens le livre à la main. (*tenir* = to hold).

    (b) Il *se tient* debout. *Tenez-vous* droit! (*se tenir* = to stand up, sit up).

    (c) Je tiens de mon père. (*tenir de* = to take after).

    (d) Il tient à me voir. (*tenir à* = to insist on).

    (e) Tiens! (= well I never! You don't say!)

(3) **savoir—pouvoir:**

Je *sais* nager mais je ne *peux* pas nager—il n'y a pas d'eau.

(*savoir* = to know how to; *pouvoir* = to be able to).
                       Invent other examples.

(4) **savoir—connaître:**

Je ne *connais* pas Paul mais je *sais* qu'il est intelligent.
(*connaître* = to know a person; *savoir* = to know a thing, a fact).

(5) Revoir l'emploi de:

    (a) **devoir**—page 70.

    (b) **faire**—page 125.

    (c) **venir**—page 71.

IV. IDIOMATIC USES OF À.

(1) Maison à vendre—Bateau à louer
    (Gives you the passive of the infinitive).

(2) Une tasse à thé
Une table à écrire
L'homme à la jambe de bois
Un mur blanchi à la chaux
    (Descriptive à—it turns the noun or verb into an adjective).

(3)   Cette plume est **à** moi
      Cet enfant est **à** nous
            (Possessive—in what other way could
                  you say it?).

(4)   Je tiens le livre **à** la main droite—cf. *dans* la main :
      Qu'est-ce que j'ai *dans* la main?   Un bout de craie.
      La vieille s'approcha, une chandelle **à** la main.

(5)   Je l'ai vu **à** la clarté de la lune
      Il vient **à** pas pressés
      Il parle **à** haute voix
      Je lis **à** voix basse   (*Adverbial*)

(6)   Paul demeure **à** Paris   (*Towns*)
N.B. AU Japon, AU Portugal, AU Danemark, AU Pays de
      Galles, AU Brésil. (Countries which are *masculine*).

(7)   C'est AU printemps qu'il viendra—BUT *en* été, *en*
      automne, *en* hiver.

(8)   Mon ami habite **à** douze milles d'ici.   (*Distances*)
      Je suis **à** dix pas de toi.

———————

EXERCICES :

I.   (1) Comment étaient les arbres qui bordaient la route?
(2) Qu'est-ce qu'on avait trouvé dans le châtaignier creux
comme une tour?   (3) Comment a-t-on su que le squelette
était celui de Claude Nozière?   (4) Pourquoi était-il allé se
cacher dans le creux de cet arbre?   (5) Qu'est-ce qui exhuma
le vieux brigand?   (6) Que vit le héros sur le mur blanchi à
la chaux?   (7) Quel temps faisait-il ce soir-là?   (8) Combien
de femmes y avait-il à l'auberge?   (9) Qu'est-ce que la vieille
avait donné à manger au héros?   (10) Pourquoi ne pouvait-il
pas manger?

II. (1) Pourquoi les arbres faisaient-ils une sorte de peur au héros? (2) Que fut de son vivant Napoléon? (3) Et Pasteur? (4) Combien d'années après sa mort le vieux brigand fut-il exhumé? (5) Pourquoi le héros allongea-t-il l'allure de son cheval? (6) Faites une description détaillée de l'hôtesse du héros. (7) Quel effet l'ombre de la jeune fille eut-elle sur le héros? (8) Décrivez l'auberge. (9) Pourquoi la vieille savait-elle à la fin, et sans aucun doute, que le héros était un Nozière? (10) Croyez-vous aux fantômes?

III. *Mettez au négatif en vous servant de tous les négatifs possibles*:

(1) Lève-toi, espèce de paresseux! (2) Donnez-lui-en! (3) Dormir c'est se reposer. (4) J'ai vu quelqu'un à la ferme. (5) Avez-vous fait quelque chose de bon? (6) Il a des oncles et des tantes. (7) J'en ai. (8) L'un et l'autre sont venus. (9) J'en veux encore. (10) J'ai le droit de te le dire.

IV. *Dictée*: le paragraphe qui commence " J'entrai dans l'auberge . . . ".

V. *Traduire en anglais le premier paragraphe du texte.*

VI. *Traduisez en français*:

(1) I use a pencil. (2) He was holding a book in his hand. (3) A watch is used for telling the time. (4) Serve yourself! (5) I insist on doing it. (6) He was standing at the corner of the road. (7) I know that it is snowing. (8) Must you go out? (9) He takes after me. (10) He can swim you know. (11) Have you a teacup? Well I never! Give me a cup of tea! (12) He has fetched the doctor. (13) I live eight miles from Paris. (14) The man with the red hair lives in Paris. (15) This book is theirs. (16) Here is some wine to be drunk. (17) Give me something to eat! (18) I have never anything to do. (19)

He always sings in a loud voice.   (20) He had to visit the white-washed house.

VII.   *Traduisez en français*:

By the light of the fire he saw the face of a horrible old woman. He told her his name, which she should have known, but shaking her head she replied that there were no more Nozières. The last (one) had died in the hollow of a tree where he had gone to hide himself. Neither friends nor enemies had known what had become of him and his skeleton was disclosed fifty years after his death by a thunderbolt. They knew it was Claude Nozière because his name was on a watch which they found at the skeleton's feet. By his side was a gun and a rosary. But the rosary had been of no avail to him. He had died all the same. She would not tell him any more.

VIII. *Vous êtes la vieille. Racontez à votre fils ou fille l'arrivée chez vous du jeune Nozière.*

IX.   *Vous êtes Claude Nozière. Caché dans le creux de l'arbre vous écrivez votre journal—journal qu'on va trouver à côté de votre squelette un demi-siècle plus tard!*

X.   *Imaginez que vous arrivez tard le soir à la maison d'un inconnu à qui vous demandez logement pour la nuit. Vous avez peur mais il pleut à verse et vous devez vous mettre à l'abri. Ecrivez la conversation entre vous et l'habitant de la maison. Décrivez la maison, de l'extérieur et de l'intérieur.*

XII. **LE SILENCE DE LA MER**

Exercices de Prononciation :

Il demeura sans bouger et sans parler. Il ne s'y assit pas. Nous ne le lui offrîmes pas. Il regardait ma nièce. Tu ne devras jamais aller en France. Je suis musicien. Il fit deux pas. Puis il sortit. Je terminai silencieusement ma pipe. Je me sentis presqu'un peu rougir.

Il demeura sans bouger assez longtemps, sans bouger et sans parler. Ma nièce tricotait avec une vivacité mécanique. Elle ne jeta pas les yeux sur lui, pas une fois. Moi je fumais, à demi allongé dans mon grand fauteuil douillet. Je pensais que la pesanteur de notre silence ne pourrait pas être secouée. Que l'homme allait nous saluer et partir.

Mais le bourdonnement sourd et chantant s'éleva de nouveau, on ne peut dire qu'il rompit le silence, ce fut plutôt comme s'il en était né.

"J'aimai toujours la France," dit l'officier sans bouger. "Toujours. J'étais un enfant à l'autre guerre et ce que je pensais alors ne compte pas. Mais depuis je l'aimai toujours." Il fit une pause avant de dire gravement : " A cause de mon père ".

Il se retourna et, les mains dans les poches de sa veste, s'appuya le long du jambage. Un fauteuil était là offert, tout près. Il ne s'y assit pas. Jusqu'au dernier jour il ne s'assit jamais. Nous ne le lui offrîmes pas et il ne fit rien, jamais, qui pût passer pour de la familiarité.

Il répéta :

" A cause de mon père. Il était un grand patriote. La défaite a été une violente douleur. Pourtant il aima la France. Il était très enthousiaste. Il croyait dans la République de Weimar et dans Briand. Il pensait que le soleil allait enfin se lever en Europe . . . "

En parlant il regardait ma nièce. Il ne la regardait pas comme un homme regarde une femme, mais comme il regarde une statue.

" . . . Mais Briand fut vaincu. Mon père vit que la France était encore menée par vos Grands Bourgeois cruels—les gens comme vos Wendel, vos Henry Bordeaux et votre vieux Maréchal. Il me dit : ' Tu ne devras jamais aller en France avant d'y pouvoir entrer botté et casqué.' Je dus le promettre, car il était près de la mort. Au moment de la guerre je connaissais toute l'Europe, sauf la France ".

Il sourit et dit, comme si cela avait été une explication :

" Je suis musicien. Je ne suis pas exécutant : je compose de la musique. Cela est toute ma vie et, ainsi, c'est une drôle de figure pour moi de me voir en homme de guerre. Pourtant je ne regrette pas cette guerre. Non. Je crois que de ceci il sortira de grandes choses . . . ".

Il se redressa, sortit ses mains de ses poches et les tint à demi levées :

" Pardonnez-moi : peut-être j'ai pu vous blesser. Mais ce que je disais, je le pense avec un très bon cœur : je le pense par amour pour la France. Il sortira de cette guerre de très grandes choses pour l'Allemagne et pour la France. Je pense, après mon père, que le soleil va luire en Europe ".

Il fit deux pas et inclina le buste. Comme chaque soir il dit : " Je vous souhaite une bonne nuit ". Puis il sortit.

Je terminai silencieusement ma pipe. Je toussai un peu et je dis : " C'est peut-être inhumain de lui refuser l'obole d'un seul mot ". Ma nièce leva son visage. Elle haussait très haut les sourcils, sur des yeux brillants et indignés.   Je me sentis presqu'un peu rougir.

d'après VERCORS : *Le Silence de la Mer.*

LOCUTIONS UTILES :
à demi allongé dans mon grand fauteuil
il s'appuya le long du jambage
sans bouger et sans parler
elle ne jeta pas les yeux sur lui, pas une fois
tu ne devras jamais aller en France

Employez plusieurs de ces locutions dans des phrases différentes.

GRAMMAIRE :

I. VERB DRILL :

je romps le silence en toussant   **rompre**
je romprai le silence en . . .
je rompais mon pain quand . . .
je rompis le silence en . . .
j'ai rompu le silence en . . .

je peux venir si tu le veux   **pouvoir—vouloir**
je pourrai venir s'il le veut
je pouvais le faire sans lui
j'ai pu le faire malgré toi
quoique je ne puisse pas y aller je
    voudrais t'aider
que je le veuille ou non il viendra
sans que je l'aie voulu il est venu

II.   Revise PLUS and MINUS verbs—page 30.

III.   Revoir l'emploi de l'adjectif (page 11):

The adjective sometimes changes in meaning according as to whether you place it BEFORE or AFTER the noun:

BEFORE	AFTER
Mon *ancien* lycée (=former)	un château *ancien*
Le *bon*homme X	un homme *bon* et charitable
C'est un *brave* homme (= decent)	un homme *brave*
C'est un *grand* homme (= great) mais	ce n'est pas un homme *grand*
Ce *pauvre* aveugle (=to be pitied)	est un homme très *pauvre*
Mes *propres* livres (=my own books)	sont *propres* (=clean)
Ce *même* soir (=same) que je t'ai vu	je lisais ce livre *même* (=very)
Un *nouveau* chapeau (=a new hat)	Un chapeau *nouveau* (=a new kind of hat)
A la *dernière* page (=on the last page)	l'an *dernier* (=last year)
Je descends au *prochain* arrêt	L'an *prochain* EXPLAIN.
Le *seul* élève que je connais (=only)	Un élève *seul* (=alone)
Un *simple* soldat (=private soldier)	Un homme *simple* et bon

IV.   USES OF **DE** AND **EN**:

  (1)   **De:**

      (a)   une tasse **de** thé

           Un panier **de** pommes

     cf. beaucoup **de** pommes—an expression of quantity.

(b)   une jambe **de** bois
le corps **de** garde
un palais **de** danse
une maison **de** santé
  The noun is used *adjectivally*.

(c)   je suis mort **de** faim
      fatigue
je le vois **de** temps en temps
il travaille **d'**une façon admirable
  The noun is used *adverbially*.
cf. il est coiffé **d'**un chapeau melon
accablé **de** tristesse

(d)   il fut puni **d'**avoir volé des pommes
il fut loué **d'**avoir sauvé la vie à son ami
      Causal.

(e)   J'ai plus **de** *cent* livres à la banque
      cf. il est plus grand QUE toi
Je l'ai fait plus **de** *vingt* fois
With numbers in a comparison DE replaces QUE.

(f)   *Idiomatic Uses*:
D'après mon ami il va faire beau demain (d'après
=according to)
Je viens *d'*ouvrir la porte—etc.
D'aujourd'hui en huit/quinze j'irai à la mer = in
a week's/fortnight's time
Il travaille **du** matin au soir (from morning to night)

(2) **En:**
(a)   Une robe **en** soie
Une maison **en** briques
Une serviette **en** cuir
The noun is used *adjectivally*, the object being made
entirely of silk/bricks/leather

(b) un arc **en** ciel
   The noun is used *adverbially*—place, where

(c) **en** travaillant on devient intelligent
   c'est **en** ouvrant la porte que j'ai perdu mon cahier
 (en + present participle = by/while doing something)

(d) Je te reverrai **en** un quart d'heure = I will see you
   again *sometime within* the next quarter of an hour
   cf. Je te reverrai DANS un quart d'heure = in a
   quarter of an hour's time

(e) Il va **en** France
   Je vais **en** Italie   With *feminine* countries.

(f) Il voyage **en** avion
               en bateau
               en auto
               en train
                          cf. **à** bicyclette
                              à cheval
                              à pied

I.   (1) Que faisait la jeune fille pendant que l'Allemand parlait?   (2) Que faisait son oncle?   (3) Quel âge avait l'Allemand
à l'autre guerre?   (4) Qu'est-ce que l'Allemand dut promettre
à son père?   (5) Quelle profession l'Allemand exerçait-il en
temps de paix?   (6) Qu'est-ce que l'Allemand répétait chaque
soir avant d'aller se coucher?   (7) Quelle réponse lui donnait-
on?   (8) Que pensait l'Allemand à propos de la guerre?   (9)
L'Allemand avait-il raison de penser ainsi?   (10) Pourquoi
l'oncle se sentit-il presqu'un peu rougir quand sa nièce leva sur
lui ses yeux?

II.   (1) Croyez-vous que l'oncle avait raison en disant : " C'est peut-être inhumain de lui refuser l'obole d'un seul mot? " Discutez le pour et le contre.

(2)   L'Allemand aurait-il pu agir autrement?   Qu'est-ce qu'il aurait pu faire?   Avait-il raison de se comporter en vrai " gentleman? "

(3)   A votre avis pourquoi Vercors appelle-t-il ce conte " Silence de la Mer? "

III.   *Dictée* : les deux premiers paragraphes du texte.

IV.   *Traduire en anglais* : " Il se redressa, sortit ses mains de ses poches. . . " jusqu'à la fin du texte.

V.   *Traduisez en français* :
(1) She was playing the piano when he entered the room. (2) He was looking for his former friend. (3) This very day I shall ask for an ice-cream. (4) He is dead tired. (5) She was punished for having eaten a basket of apples; there were more than thirty in it. (6) I am looking for a road which leads to the railway station. (7) Poor Paul! He works from morning to night, but in a fortnight's time he will be on holiday. (8) I have seen this film more than ten times; it is more exciting than that I saw a week ago. (9) I had just opened the door when she went out. (10) He lives in a glass house—we see him from time to time. (11) I shall go to Italy by aeroplane. (12) I shall do it within an hour. (13) In an hour and a half's time I shall go to the cinema. (14) I shall go on foot to school today. (15) I shall get off the bus at the next stop. (16) Last year she used to get up at a quarter to seven. (17) He approached me; I was drinking a glass of beer. (18) Whilst cycling to school I met Paul. (19) According to this book it is easy to swim across the Channel. (20) He ran across the road.

VI. *Traduisez en français:*

The German never sat down in the arm-chair. We never spoke to him. Yet he told us many things about his life. He had always loved France, because of his father. He was a musician but he did not regret the war for he thought that great things for France and for Germany would come of it. He knew the whole of Europe, except for France. He had never been to France because he had to promise his father, who was at death's door, that he would go there only as a soldier. Each evening, when he had finished talking, he would wish us a good night and then go up to his room.

VII. *Write a short amusing paragraph on any subject or topic you like, introducing as many as possible of the adjectives that can have a different meaning according to their position.*

VIII. *Find out all you can about:* (a) the Republic of Weimar; (b) Briand; (c) " le vieux Maréchal ".

What were the causes of World War II—from the particular viewpoint of France? And of Germany?

IX. *Vous êtes l'Allemand. Racontez votre séjour chez ces deux Français.*

X. *Imaginez le séjour d'un soldat anglais dans une famille allemande après la guerre.*

XIII. **FANTASIO**

Cela ne m'amuserait pas. J'y ai été. J'aime autant les voir ici que chez eux. Quelle misérable chose que l'homme! Il y a encore du vin. Tu l'as dit. Qu'appelles-tu tard? Mettons-les dans les poches! A quoi en veux-tu venir? A quoi penses-tu? C'est un conseil d'ami.

———————

(Fantasio, le héros de cette pièce, s'ennuie. Il va boire à un café avec des amis et il s'amuse à raconter tout un tas de bêtises.)

Fantasio : Tu es capable de pêcher à la ligne?

Spark : Si cela m'amuse, je suis capable de tout.

Fantasio : Même de prendre la lune avec les dents?

Spark : Cela ne m'amuserait pas.

Fantasio : Ah! ah! qu'en sais-tu? Prendre la lune avec les dents n'est pas à dédaigner. Allons jouer au trente et quarante.

Spark : Non, en vérité.

Fantasio : Pourquoi?

Spark : Parce que nous perdrions notre argent.

Fantasio : Ah! mon Dieu! Tu vois donc tout en noir, misérable! Perdre notre argent! Tu es capable de me dessécher le cœur et de me désabuser de tout, moi qui suis plein de sève et de jeunesse?

(Il se met à danser).

165

SPARK : Il y a certains moments où je ne jurerais pas que tu n'es pas fou.

FACIO : Si tu t'ennuies, Fantasio, fais-toi journaliste ou homme de lettres.

FANTASIO : Oh! je voudrais me passionner pour un homard à la moutarde, pour une classe de minéraux! Spark! essayons de bâtir une maison à nous deux.

SPARK : Pourquoi n'écris-tu pas ce que tu rêves? Cela ferait un joli recueil.

FANTASIO : Un sonnet vaut mieux qu'un long poème, et un verre de vin vaut mieux qu'un sonnet.

(*Il boit.*)

HARTMAN : Pourquoi ne voyages-tu pas? Va en Italie.

FANTASIO : J'y ai été.

MARINONI : Eh bien! Est-ce que tu ne trouves pas ce pays beau?

FANTASIO : Il y a une quantité de mouches grosses comme des hannetons qui vous piquent toute la nuit.

SPARK : Va en France.

FANTASIO : Il n'y a pas de bon vin du Rhin à Paris.

HARTMAN : Va en Angleterre.

FANTASIO : J'y suis. Est-ce que les Anglais ont une patrie? J'aime autant les voir ici que chez eux.

SPARK : Va donc au diable, alors!

FANTASIO : Oh! s'il y avait un diable dans le ciel! S'il y avait un enfer, comme je me brûlerais la cervelle pour aller voir tout cela! Quelle misérable chose que l'homme! Ne pas pouvoir seulement sauter par sa fenêtre sans se casser les jambes! Etre obligé de jouer du violon dix ans pour devenir un musicien passable! Apprendre à faire une omelette! Tiens, Spark, il me prend des envies de m'asseoir sur un parapet, de regarder couler la rivière, et de me mettre à

M

compter un, deux, trois, quatre, cinq, six, sept, et ainsi de suite jusqu'au jour de ma mort.

(*Il chante.*)

Tu m'appelles ta vie, appelle-moi ton âme,
Car l'âme est immortelle et la vie est un jour ...

SPARK : Si tu étais amoureux, Fantasio, tu serais le plus heureux des hommes.

FANTASIO : L'amour n'existe plus, mon cher ami. Il n'y a plus d'amour. Vive la nature! Il y a encore du vin!

(*Il boit.*)

SPARK : Tu vas te griser.

FANTASIO : Je vais me griser, tu l'as dit.

SPARK : Il est un peu tard pour cela.

FANTASIO : Qu'appelles-tu tard? Midi est-ce tard? Minuit, est-ce de bonne heure? Où prends-tu la journée? Restons là, Spark, je t'en prie. Buvons, causons, faisons de la politique. Imaginons des combinaisons de gouvernement. Attrapons tous les hannetons qui passent autour de cette chandelle, et mettons-les dans les poches.

(*Un silence. Il boit. Puis il commence à raconter une histoire.*)

Il y avait une fois un roi qui était très sage, très sage, très heureux, très heureux ...

FACIO : Après?

FANTASIO : La seule chose qui manquait à son bonheur, c'était d'avoir des enfants. Il fit dire des prières dans toutes les mosquées.

SPARK : A quoi en veux-tu venir?

FANTASIO: Je pense à mes chères Mille et une Nuits. C'est comme cela qu'elles commencent toutes. Tiens, Spark, je suis gris. Il faut que je fasse quelque chose. Tra la, tra la! Allons, levons-nous!

(*Un enterrement passe.*)

Ohé! braves gens, qui enterrez-vous là? Ce n'est pas maintenant l'heure d'enterrer proprement.

LES PORTEURS: Nous enterrons Saint-Jean.

FANTASIO: Saint-Jean est mort? Le bouffon du roi est mort? Qui a pris sa place? Le ministre de la justice?

LES PORTEURS: Sa place est vacante, vous pouvez la prendre si vous voulez.

(*Ils sortent.*)

SPARK: Voilà une insolence que tu t'es bien attirée. A quoi penses-tu, d'arrêter ces gens?

FANTASIO: Il n'y a rien là d'insolent. C'est un conseil d'ami que m'ont donné ces hommes, et que je vais suivre à l'instant.

SPARK: Tu vas te faire bouffon de la cour?

FANTASIO: Cette nuit même, si l'on veut de moi!

d'après ALFRED DE MUSSET: *Fantasio.*

LOCUTIONS UTILES:
tout un tas de bêtises
je suis capable de tout
qu'en sais-tu?
et ainsi de suite
à quoi penses-tu de . . .?
j'aime autant les voir ici que chez eux
il me prend des envies de . . .
il fit dire des prières dans toutes les mosquées

Employez plusieurs de ces locutions dans des phrases différentes.

GRAMMAIRE:

I. VERB DRILL:

qu'en sais-je?   **savoir**
qu'en saurai-je?
qu'en savais-je?
qu'en ai-je su?
pour autant que je sache il est . . .

j'essaie de bâtir une maison   **essayer**
j'essaierai de . . .
j'avais essayé de . . .
j'essayais de . . .
il faut bien que j'essaie de . . .

je vaux mieux que lui   **valoir**
je vaudrais pis que lui si . . .
je valais mieux qu'elle quand . . .

si j'étais . . . je serais . . .   **être**
si j'avais été . . . j'aurais été . . .

Plate VII.   *Alfred de Musset.*

à quoi en veux-je venir?   **vouloir—venir**
à quoi en voulais-je venir?
à quoi en aurais-je voulu venir?
à quoi en voudrais-je venir?
à quoi en voudrais-tu que je vienne?

II. L'ADVERBE:

  (1) Revoir l'emploi et la formation de l'adverbe (pages 17–20).

  (2) Position of the adverb—*immediately* after the verb.
  BUT: adverbs of *time* and *place*, lengthy or *qualified* adverbs in a compound tense come AFTER the past participle:—
      je l'ai vu *hier*
      je l'ai mis *dehors*
      je suis rentré *très tard* à la maison
      il a travaillé *courageusement*
    Invent others.

III. " COMPARATIVE " CONSTRUCTIONS:

  (a) **As . . . As:**
      Je suis *aussi* intelligent *que* toi   POSITIVE
      Il n'est pas SI intelligent *que* toi   NEGATIVE

      J'ai un chien grand COMME un loup
      J'ai mangé un gâteau dur COMME de la pierre
    Invent examples.

  (b) **As many as:**
      J'ai *autant de* livres que toi   POSITIVE
      Il n'a pas *tant de* livres que toi   NEGATIVE

  (c) **As much as:**
      Mangez *autant que* vous voulez
      Il en a *autant que* moi

Plate VIII. *La libération de la France,* 1944.

(d) **As little as:**
J'ai *aussi peu* d'argent *que* toi
Il travaille *aussi peu que* possible, le paresseux

(e) **More/Less than:**
J'en ai *plus que* toi mais Pierre en a *moins que* toi

N.B. If a number follows, then plus/moins must be followed
by DE:
J'ai marqué *plus de* trois buts cette après-midi
Il en a marqué *moins de* deux

(f) **So much/So little:**
Elle avait *tant de* travail qu'elle ne savait que faire.
J'ai *si peu de* temps pour faire mes devoirs le soir
Invent others.

(g) **The more . . . the more:**
Plus nous sommes ensemble *plus* nous nous amusons
Plus il fait chaud *moins* je m'amuse à l'école
Je deviens *de plus en plus* paresseux (more *and* more)
J'aime Paul *d'autant plus qu*'il est amusant (all the more
because)
Invent others.

IV. " COMPOUND " VERBS OF MOTION:
(1) " This piteous news so much it shocked her,
She quite forgot *to fetch* the doctor."
(Wordsworth!)
envoyer chercher le docteur   = to fetch, send for
faire venir le docteur   = to summon, fetch
aller voir le docteur   = to visit the doctor
Invent examples.

(2) " Manner " motion—i.e. it tells HOW a movement was
made:

(a) Il monte l'escalier *en courant* = he RUNS *upstairs*
     Il descend l'escalier *en courant* = ?
     Il sort *en boitant* = he *limps* OUT
     Il entre *en courant* = he *runs* IN

(b) Il traverse la rue *en courant* = he *runs* ACROSS
                                          the road

     Il traverse la rue *en boitant* = ?
     Il traverse la rue *en sautant* = ?

     Il traverse la rivière *à la nage* = ?
     Il traverse la rivière *à la rame* = ?
Invent others.

(c) Il entre dans la ville *à cheval* = he rides into the
                                              town

                    en auto
                    en avion
                    à bicyclette
                    à pied = ?

Invent others.

(d) Il part *au galop* = he gallops off.
Invent others.

———————

EXERCICES :

I. (1) Que fait Fantasio pour tuer son ennui? (2) Pourquoi
Spark ne veut-il pas jouer au trente et quarante? (3) Quel
conseil Facio donne-t-il à Fantasio pour l'aider à tuer son
ennui? (4) Pourquoi Fantasio ne trouve-t-il pas l'Italie un beau
pays? (5) Pourquoi ne veut-il pas aller en France? (6) Et
pourquoi pas en Angleterre? (7) Combien d'années faut-il jouer
du violon pour devenir un musicien passable? (8) Jouez-vous

du violon? (9) Qui était Saint-Jean? (10) Quel conseil les porteurs de Saint-Jean donnent-ils à Fantasio?

II. (1) Pourquoi Fantasio se met-il à danser? (2) Qu'est-ce qu'il faut à Fantasio pour le rendre le plus heureux des hommes? (3) Qu'est-ce qu'un bouffon? (4) Qu'est-ce que le ministre de la justice? (5) Et le ministre de l'instruction publique? (6) Si vous aviez le choix quel ministre seriez-vous? Pourquoi? (7) Pourquoi Fantasio dit-il que Spark voit tout en noir? A-t-il raison de le dire? (8) Et Fantasio, voit-il tout en rose? (9) Qu'est-ce qui vous prouve que Fantasio s'ennuie? (10) Trouvez-vous Fantasio un personnage sympathique?

III. *Dictée:*

Parce qu'il s'ennuie Fantasio va boire avec ses amis et il s'amuse à raconter tout un tas de bêtises. Il tient à se griser. Ses amis lui sont très sympathiques et ils rient de bon cœur en écoutant ses boutades. Pourtant c'est un fainéant. Ses amis lui prodiguent de bons conseils qu'il refuse d'accepter, préférant comme il le dit lui-même, " se passionner pour un homard à la moutarde, prendre la lune avec les dents, attraper les hannetons qui passent autour de la chandelle et les mettre dans ses poches." A quoi pensait-il en effet d'aller se faire bouffon de la cour? Il faut lire la suite de cette comédie.

IV. *Traduisez en français:*

(1) I saw her yesterday—no, the day before yesterday. (2) She has worked patiently the whole week. (3) He followed my advice blindly. (4) She would have returned very early if she had not suddenly seen him at the station. (5) She is not as big as I thought. (6) I have so little money I cannot go to the cinema. (7) I haven't as many apples as you. (8) I have as little time as you to do my homework. (9) She has a cat as big as a tiger! (10) He is not as stupid as that. (11) We have less

than ten days at the seaside. (12) The more he eats the fatter he becomes. (13) She will fetch the doctor tomorrow. (14) She ran down the stairs. (15) He flew to Italy. (16) I shall walk to London. (17) She trotted away quite happy. (18) He limped into the town. (19) We ran out of the room. (20) Do you want me to fetch Paul?

V. *Traduisez en français:*

Nothing amused Fantasio. He was bored. He had travelled in all the countries of the world, he had been everywhere. Sitting at night at a café with his friends he called for more and more wine and tried in this way to amuse himself. He only got drunk. Then, some men chanced to pass bearing the body of the court buffoon who had just died. They had been fetched to bury him. Fantasio stood up. He had made up his mind. He would become the court buffoon in Saint-Jean's place. That very night he entered the palace and offered himself to the king as the new jester.

VI. *C'est vers la fin d'une chaude journée d'été. Vous venez de jouer au cricket—ou au tennis. Assis à une table avec plusieurs amis vous buvez de la limonade et vous vous amusez à raconter un tas de bêtises. Ecrivez ce dialogue.*

XIV. UNE HÉROINE DE LA GUERRE 1939–45

Exercices de Prononciation :

Un bruit sourd la fait tressaillir. Ils sont arrivés trop tard.
Elle n'avait plus mal au bras. Tu as eu tort de sortir. On ne
faisait plus attention à Monique. Tu crois qu'ils pourraient te
prendre? Elle finit par s'endormir.

———————

*(C'est une histoire vraie celle de Monique Renaud. Un soir,
sur la grève, elle est bouleversée par la vue d'un avion anglais
qui s'abat en flammes. Elle sait bien que des vols de reconnais-
sance précèdent souvent un bombardement de la base de sous-
marins allemands de Pouldrieux; que la défense antiaérienne
est installée à Tréguivy; que si quelqu'un coupait les fils
téléphoniques la nuit, la batterie ne pourrait être alertée. Et
une idée fixe s'empare peu à peu de la petite Bretonne! Elle
repère la position des fils, cache dans ses jupes les grands
ciseaux de Mme Renaud, sort de son lit une nuit qu'il fait très,
très noir . . . et accomplit, non sans beaucoup de difficulté, sa
besogne . . .)*

La voilà devant chez elle. Elle ouvre la porte sans bruit,
traverse la pièce nu-pieds, se glisse dans le lit près de la petite
sœur qui se tourne en gémissant. Son cœur bat terriblement fort.
Ses bras sont en feu. Sa cheville est douloureuse. Elle a maintenant une grande envie de dormir. Mais soudain un bruit
sourd la fait tressaillir . . . Une bombe . . . Puis une seconde . . .
Une troisième . . . Son père fait " Hé! " puis se rendort. Un
petit frère grogne . . .

176

Quand elle ouvrit les yeux le lendemain matin, elle avait dormi comme un plomb. Sa mère entra dans la chambre :

—Ah! te voilà réveillée! On t'avait laissée dormir. As-tu seulement entendu le bombardement?

—Oui . . . Non . . . Quel bombardement?

Cette nuit, tiens! . . . Il paraît que les Anglais ont démoli la base de Pouldrieux . . . Démoli? . . . Rasé complètement . . . Plus rien . . . Et la D.C.A. n'a pas tiré . . . Et sais-tu pourquoi? Les fils téléphoniques avaient été coupés ici. Ah! c'était du travail bien préparé! Les guetteurs voulant téléphoner et s'apercevant que ça ne marchait pas! Ils ont été obligés de courir jusqu'au port. Et ils sont arrivés trop tard. Oh! que ça gueulait ce matin, les Boches! . . .

Monique écoutait sa mère sans l'interrompre. Monique n'avait plus mal au bras. Monique n'avait plus mal au pied. Monique était heureuse.

Mais le soir de cette même journée, en allant chez le boulanger, Monique se trouva devant une affiche en deux langues : " Avis "—" Bekanntmachung ". L'affiche était toute fraîche, imprimée dans la journée, encore humide. La population était informée que les fils téléphoniques ayant été coupés, si l'auteur de ce sabotage ne se dénonçait pas dans les vingt-quatre heures, vingt hommes de Tréguivy seraient pris et fusillés.

Monique lut et relut cet avis plusieurs fois. Et plus elle lisait et relisait, plus elle avait le vertige. Vingt hommes de Tréguivy! Vingt hommes fusillés! . . .

—Tu as eu tort de sortir, fit sa mère en la voyant tomber sur une chaise. Te voilà pâle comme un linge.

Monique ne répondit pas.

—Tu as vu l'affiche? dit Renaud.

Monique regarda son père.

—Oui, je l'ai vue de loin. Je suis rentrée derrière toi.

—C'est ça qui lui a tourné le sens. Ne cherche pas plus loin.

—Quelle affiche? fit sa femme.

Et il raconta. On ne faisait plus attention à Monique.

—Tu crois qu'ils pourraient te prendre? demanda la mère.

—Moi, fit Renaud, avec mon bras de moins? . . .

Il réfléchit un instant.

—Oh! ils peuvent toujours . . . A quoi est-ce que je suis bon, manchot et ivrogne que je suis?

—A nous faire manger, dit simplement sa femme.

Monique avait pris la main de son père et la serrait machinalement.

—Va te coucher, fit Renaud, un peu effarouché de ce geste inhabituel.

Monique ne dit rien, mais, quand tout le monde fut endormi, elle pleura longuement. Et quand elle se sentit un peu soulagée d'avoir tant pleuré, elle finit par s'endormir dans un drap trempé.

(*à suivre*.)

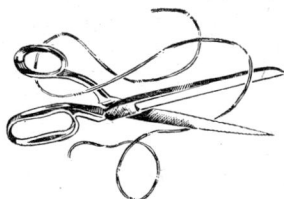

LOCUTIONS UTILES :

une idée fixe s'empare peu à peu d'elle

elle traverse la pièce nu-pieds

elle a maintenant une grande envie de dormir

elle avait dormi comme un plomb

elle n'avait plus mal au bras

tu as eu tort de sortir
je l'ai vu de loin
pâle comme un linge
avec mon bras de moins
à quoi est-ce que je suis bon?

Employez plusieurs de ces locutions dans des phrases différentes.

GRAMMAIRE :

I.   VERB DRILL :

je me rendors sans parler à qui que ce soit   **se rendormir**
je me rendormirai si . . .
je me suis rendormi après . . .
je me rendormais quand . . .
me suis-je rendormi après . . .

sais-je pourquoi je l'ai fait?   **savoir—faire**
saurai-je pourquoi je le ferai?
ai-je su pourquoi je l'ai fait?
si je savais pourquoi je l'aurais fait . : .
que je sache pourquoi je ne l'ai pas fait

n'ai-je plus mal au pied?   **avoir**
n'avais-je plus mal . . .?
n'aurai-je plus mal . . .?
n'ai-je pas eu plus mal . . .?
ai-je eu tort de sortir ce soir?
aurai-je raison de . . .
s'il était malade j'aurais pitié de lui
j'avais froid quand . . .
si tu veux que j'aie pitié de lui, que je le sache

je réfléchis à chaque instant   **réfléchir**
je réfléchirai à ce que je dirai
je réfléchissais toujours à ce que je disais
je réfléchis—et puis je partis au galop
j'ai bien réfléchi à ce que j'ai dit.

II. UNUSUAL AGREEMENTS:

(1) *The adjective:*

(a) une *demi*-heure—une heure et demiE
je vais *nu*-pieds—je vais pieds nuS
What is the rule?

(b) quatre-vingtS soldats—quatre vingt-*trois* soldats
deux centS soldats—deux *cent* vingt-trois soldats
What is the rule?

deux *mille* soldats
deux *mille* trois cents soldats i.e. mille NEVER
                                        changes

N.B. Deux milleS = two **Miles.**

(c) hier je suis allé voir les *Lebrun*
les *Dupont* sont des gens charmants
With Proper Names there can be no plural.

(d) Ce sont des gens *charmants*
toutes les *vieilles* gens sont *heureux*
Explain this one!

BUT: *tous* les *braves* gens
tous les *honnêtes* gens
tous les *pauvres* gens
i.e. if the masculine and feminine form of the adjective are
the same, then treat *gens* as masculine even if the adjectives
come before.

(2) *The " Tooting " mystery!*

The adjective " tout " can be used as an abverb to mean QUITE—and all adverbs of course are *invariable*:

> Il est *tout* content de venir

The trouble arises when the adverb " tout " is used to qualify an obviously feminine adjective—e.g.

> Elle est *toutE* contente de venir

Thus, colloquially we may say: when TOUT meets a feminine, if he is polite he will " toot ". If he is not polite, then kick him and make him " toot ". You " kick him " by making " tout " completely agree.

Study the following examples and discuss them:

> Il est *tout* heureux de venir
> Elle est *tout* heureuse de venir
>
> Ils sont *tout* heureux de venir
> Elles sont *tout* heureuses de venir

BUT: Ils sont *tout* contents de venir
        Elles sont TOUTES contentes de venir

(3) *Compound nouns:*

Logic really tells you when agreement should not take place.

  (a)   Noun + Noun or Noun + Adjective—both agree.
      des choux-fleurs
      des tableaux noirs
      des grands-pères
      des messieurs
      des gentilshommes

N.B.   des grand'mères.

   (b)   Noun + Verb or Noun + Noun *used as* an Adjective
       or Adverb—noun only takes a plural sign:
    des *porte*-plume**s**
    des pomme**s** *de terre*
    des maison**s** *en pierre*
    des arc**s** *en ciel*

   (c)   Verb + Verb and parts of speech—NEVER a plural
       sign:
    des ouï-dire (rumours)
    des laisser-passer (permits)
  Je n'aime pas les *si* et les *mais*

   (d)   *Generalising* nouns never take a plural:
    des après-midi
    des tête à tête
    des pied à terre

III.   That mysterious " ne ":

Revise the use of the negatives (pages 40–41).
There are certain cases when **ne** is used without pas/rien, etc.

  (1)   Je suis plus intelligent que vous **ne** pensez
      Il est moins fort qu'il **ne** pense
    After a comparative—invent other examples.

  (2)   J'empêche qu'il **ne** fasse ses devoirs
    With verbs of hindering/preventing—give other examples.

  (3)   J'ai peur qu'il **ne** vienne (I am afraid he **will** come)
      Je crains qu'il **ne** fasse une bêtise (I am afraid he **will**
                                    do something foolish)
    With verbs of fearing.

N

Je ne doute pas qu'il **ne** soit intelligent
With verbs of doubting *used negatively*.

N.B.   What does *j'ai peur qu'il ne vienne pas* mean?
Invent other examples.

(4)   J'ai oublié de lui écrire. **N'**importe!
(N'importe = it doesn't matter.)

(5)   je **n'**ai ni père ni mère
ni l'un ni l'autre **n'**est venu
ne . . . ni . . . ni = neither . . . nor

(6)   Il **ne** *cesse* de le taquiner
Que fait-il? Je **ne** *sais*
Il **n'***ose* le lui dire
Je **ne** *peux* le faire

The verbs *cesser, oser, pouvoir, savoir* need not take " pas "
to form the negative.

IV.   Revoir l'emploi du subjonctif (pages 77–80; 104; 113).

EXERCICES :

I.   (1) Avec qui Monique couche-t-elle? (2) Qu'est-ce que les
Anglais avaient démoli? (3) Pourquoi la D.C.A. n'a-t-elle pas
tiré? (4) Où alla Monique le soir de cette même journée? (5)
Devant quoi se trouva-t-elle? (6) Quelle serait la punition si
l'auteur du sabotage ne se dénonçait pas? (7) Quel délai lui
donnait-on pour se dénoncer? (8) Le père Renaud croit-il que
les Allemand puissent le prendre? (9) D'après sa femme, à
quoi était-il bon? (10) Que fit Monique en allant se coucher?

II.   (1) Comment s'appelle la petite ville qu'habitait Monique?
(2) Où était la base de soumarins allemands? (3) Qu'est-ce qui
avait mis dans la tête de Monique l'idée de faire son acte de
sabotage. (4) Avec quoi a-t-elle coupé les fils téléphoniques?
(5) Comment les avait-elle sortis de la maison? (6) Un bom-

bardement aérien est souvent précédé par . . . ? (7) Monique s'est-elle fait mal en coupant les fils téléphoniques? Où? (8) Qu'est-ce qui prouve que Madame Renaud était contente que quelqu'un avait commis cet acte de sabotage? (9) En quelles langues l'affiche allemande était-elle? (10) Le père Renaud avait-il bonne opinion de lui-même?

III. *Dictée:* le paragraphe entre parenthèses.

IV. *Traduire en anglais:* " Mais le soir de cette même journée. . . . Te voilà pâle comme un linge."

V. *Completéz les phrases suivantes:*
  (1) Un homme qui n'a qu'un bras s'appelle . . .
  (2) Un homme qui ne voit pas s'appelle . . .
  (3) Les enfants pauvres courent presque toujours pieds ——
  (4) Je suis sorti hier avec des gens ——
  (5) Il courait—dans la forêt, ne voyant rien.
  (6) Je suis mort de ——. Et je crève de ——.
  (7) " Tu es rouge comme ——," me dit-il.
  (8) Les —— gens pensent sans cesse à leur jeunesse.
  (9) Il était fort en retard ; il a traversé la rue ——.
 (10) " ——! " dit-il. " Je l'attends depuis plus d'une heure. Je crains qu'il ——."

VI. *Traduisez en français:*
  (1) He is taller than you think. (2) Where are the Duponts? I have seen neither. (3) Three thousand four hundred and eighty soldiers entered the town this morning. (4) All honest people are happy. (5) I waited for him more than half an hour. (6) Was he wrong to sing that song? (7) She will be quite happy to go to Saint-Malo. (8) I am afraid he will come. (9) The more I eat cauliflowers the more I detest potatoes. (10) He did not doubt that Paul was intelligent. (11) He has forgotten

to do his homework. It doesn't matter! (12) Do you think that he is intelligent? (13) We did not dare open the door. (14) Madame Dupont was quite sad at losing her money. (15) We have spent some charming afternoons in Paris. (16) What was he saying? I don't know. (17) He did not want to fetch the doctor. (18) He ran across the room. (19) If you think that I am going there you are mistaken. (20) He is the biggest man I have ever seen.

VII. *Traduire en français:*

Monique opened the door without a sound, slipped into bed beside her sister and slept soundly. The next day, when she had read the German notice, she went as pale as a sheet. They were going to kill twenty men from Tréguivy! What was she to do? She was afraid that the Germans might take her father, and then. . . . She took his hand and held it tight. And that night, when everybody was asleep, she wept for a long time and only fell asleep when she had made an important decision that she could not tell—that she dared not tell—to her parents.

VIII. *Vous êtes Monique. Racontez cette histoire à une de vos amies.*

IX. *Vous êtes le père Renaud. Parlez un peu de vous-même, de votre famille et de l'acte de sabotage. Souvenez-vous que vous ne savez pas que c'est votre propre fille qui a commis cet acte de sabotage.*

X. *Racontez une autre histoire dans le même genre.*

XV.   UNE HEROINE DE LA GUERRE 1939–1945

(suite et fin)

EXERCICES DE PRONONCIATION:

Ils ne le fusilleront pas. Elle alla s'asseoir sur la grève.
Faites-moi sauter à la corde. Il lui posa quelques questions. Il
n'osa pas chercher davantage. Qu'est ce qu'on allait lui faire?
A quoi est-ce que ça sert? Machinalement il se dirigea vers le
port. Personne n'osait lui parler.

———————

Le lendemain matin elle était calme, extraordinairement
calme. Un rayon de soleil entrait dans la pièce. Elle regarda
son père qui s'habillait péniblement avec sa seule main et elle
se dit: " Ils ne le fusilleront pas." Et sa pensée alla vers tous
les hommes de Tréguivy, vers chaque homme, l'un après l'autre,
et elle songea : " Ils ne fusilleront pas celui-là, ni celui-là . . .
Ni aucun."
Elle descendit au port. Elle alla s'asseoir sur la grève. Les
deux plus petits Renaud s'approchèrent d'elle:
—Tu veux jouer, Mouni?
—Oui, c'est une idée, s'écria-t-elle. Faites-moi sauter à la
corde.
Les enfants eurent vite fait de retrouver une vieille corde.
Ils s'installèrent devant la maison. Monique se jeta littérale-

ment vers la corde, qui tournait bien rond, et de plus en plus vite, et ne semblait plus vouloir s'arrêter. Annik riait, Yves riait, les autres enfants riaient et Monique riait en sautant, riait aux larmes. Elle était infatigable!

Enfin elle demanda grâce. Les enfants qui n'en pouvaient plus lâchèrent la corde.

—Croyez-vous qu'on a ri, mes petits chéris, fit-elle en essayant de rire encore.

—Oh, oui, Mouni.

Tout à coup elle cessa de rire, elle embrassa tous les enfants, l'un après l'autre, et elle s'enfuit.

Les enfants n'étaient pas revenus de leur surprise quand la mère sortit de la maison.

—Eh bien, c'est fini ce jeu . . .?   Où est Monique?

—On ne sait pas.

———————

L'officier allemand regarda Monique avec un peu d'étonnement. Elle avait quatorze ans. Elle était frêle. Elle en paraissait à peine douze.

—Tu dis que c'est toi?

—C'est moi.

—Ah! . . . Tu ne mens pas?

Elle montra la peau déchirée de son bras.

—C'est en arrachant les fils.

—Ah!

Il était encore sceptique. Il lui posa quelques questions. Mais elle ne se démonta pas. Alors l'officier, regardant cette petite chose fragile qui venait si simplement se livrer:

—Tu vas être fusillée.

Elle ferma les yeux. Elle ne dit rien.

Les Renaud attendirent Monique toute la soirée, puis toute la nuit. Renaud, avant de se coucher, avait fait une battue dans le pays. Personne n'avait vu Monique. Si, pourtant! Yves Cornec—mais il n'était pas sûr—avait bien cru la voir entrer chez les officiers allemands ... Renaud eut une sorte de vertige. Il n'osa pas chercher davantage.

—Il n'y a rien, fit-il à sa femme en rentrant. Couche-toi donc. Elle rentrera toujours.

Lui-même se coucha, en proie à un sombre pressentiment. Toute la nuit il fut agité de mauvais rêves.

Le lendemain matin toute la petite ville savait que Monique était allée se dénoncer. Qu'est-ce qu'on allait lui faire?

—Je vais aller la chercher, cria Jean-Louis, le grand frère. Ils me prendront à sa place.

—Toi, reste tranquille ou je t'enferme, bougonna le père Renaud.

Tout à coup la mère éclata :

—Ils vont tuer Monique, vous allez voir : ils vont me la tuer!

—Ah! dit Renaud, tais-toi, à quoi est-ce que ça sert?

Il sortit, agacé. Machinalement il se dirigea vers le port, vers la maison des officiers. On le regardait passer, lamentable, avec son bras unique. Mais personne n'osait lui parler. On l'avait si souvent vu passer soûl sur le port. Et voilà qu'il passait maintenant saoul de douleur. On n'estimait guère Renaud. Et voilà que la fille de Renaud avait sauvé le village.

Soudain, de la maison des officiers, Monique sortit entre deux soldats. On la fit monter dans une auto. Renaud se précipita. Elle l'aperçut : "Papa!" cria-t-elle, "mon cher papa!" Mais, d'une bourrade, un Allemand écarta l'importun. Renaud s'affaissa sur le talus. Il ne vit pas le regard chargé d'espoir, de confiance, de tendresse que lui lançait la petite. L'auto était partie.

Quelqu'un tapa sur l'épaule de Renaud. C'était le vieux père Jean.

—Allons! donnez-moi votre bras, que je vous ramène.

Renaud se laissa faire. Le père Jean le prit par son bras unique et, clopinant, ils rentrèrent ainsi.

—Je vous ramène Renaud, dit simplement le père Jean.

—Et Monique? demanda la femme Renaud.

—Ils l'ont emmenée.

—Où ça?

—Probablement à la Kommandantur.

—Et qu'est-ce qu'ils vont lui faire?

—Sait-on?

—Ah! gémit la femme, quel besoin qu'elle avait . . .

Mais soudain Renaud leva sur elle ses grands yeux bleus mouillés et profonds:

—Tais-toi, fit-il . . . Elle a bien fait.

Et la vie reprit sans Monique . . .

Personne n'a plus entendu parler d'elle.

d'après JEAN-JACQUES BERNARD: *Bretagne.*

LOCUTIONS UTILES:
de plus en plus vite
en sautant elle riait aux larmes
elle demanda grâce
les enfants n'en pouvaient plus

elle en paraissait à peine douze
elle ne se démonta pas
il n'osa pas chercher davantage
à quoi est-ce que ça sert?
on n'estimait guère Renaud
on la fit monter dans une auto
personne n'a plus entendu parler d'elle

Employez plusieurs de ces locutions dans des phrases différentes.

GRAMMAIRE :

I. VERB DRILL :

    je m'habille péniblement   **s'habiller**
    je m'habillerai . . .
    je me suis habillé . . .
    si je m'étais habillé . . . j'aurais . . .
    ne me suis-je pas assez vite habillé?

    je m'assieds sur la grève   **s'asseoir**
    je m'assiérai sans mot dire
    ne me suis-je pas assis trop tard?
    afin que je m'asseye il me faut . . .
    je m'asseyais—sans qu'on me demandât
      de le faire

    je ne mens jamais   **mentir—falloir**
    je ne mentirai plus jamais de ma vie
    j'ai menti, d'accord
    si je mentais j'aurais tort
    j'aurais menti s'il l'avait fallu
    je mentirais s'il le faudrait

je me tais quand il le faut bien   **se taire**
je ne me tairai point
je me suis tu
je ne me taisais guère quand j'étais
    jeune
il n'y avait rien à faire : je me tus

je n'entends plus parler personne   **entendre**
il est parti sans que je l'aie entendu
j'y irai aussitôt que je l'aurai entendu
j'ai peur que je ne l'entende
j'entendais dire que je ne viendrais pas

II.   *Uses of " même " and " pour "* :

  (1)   **Même:**

    Moi-**même,** je le ferai.
    Elle l'a fait elle-**même.**   (—self: myself, etc.)
    Nous l'avons fait nous-**mêmes.**
    Même s'il vient je ne sortirai pas.   (even if)
    Au **même** instant j'ai vu Paul.   (même = same)
    A l'instant **même** où j'ai vu Paul . . . (même = very)
    Il y eut **même** de la neige le premier juin.   (there
        was even snow . . .)
    Il l'a fait **de même que** moi.   (in the same way as)
  Idiom :

    Je l'ai fait **quand-même.**   (all the same)
    Il m'a volé.   **Quand-même!**   (You don't say !)
    Quand-même il me battrait je ne céderais pas.
    (Even if he beat me I wouldn't give way)
    or, Il me battrait que je ne céderais pas.

(2) **Pour:**

Je suis ici **pour enseigner le français.** (indicates Purpose). BUT: je suis venu te voir hier. (POUR is NOT used with a verb of motion)

Invent other parallel examples.

Pour combien de temps êtes-vous ici? (Time, extending to the future)

On m'a puni **pour** avoir tué le chat. (Causal)

Je le connais **pour** l'avoir battu au tennis. (again causal: through having beaten him . . .)

Il est très bon **pour** moi. (towards, used only of feelings)

Pour moi, je crois qu'il a raison. (Pour=for my part)

Invent others.

Pardon monsieur, **pour** aller à la gare . . .? (How do I get to the station?)

Invent others.

J'ai acheté **pour** deux livres de pommes. (two pounds' worth)

Son intelligence y est **pour** beaucoup. (. . . counts for a lot)

Son intelligence n'y est **pour** rien. (?)

III. VERB CONSTRUCTIONS:

Here follow lists of the most important and most used constructions with which you should be familiar. You will have met most of them in your reading, and you will probably already have classified them for yourselves. See also pages 30–31.

A.

Vb. + à + Noun	Vb. + de + Noun	Vb. + any prep. + Noun
désobéir à	s'apercevoir de	aller vers
échapper à	s'approcher de	s'attaquer contre
se fier à	battre des mains	s'avancer vers
†jouer à	avoir besoin de	se battre avec
monter à	descendre de	se déguiser en
nuire à	douter de	se diriger vers
obéir à	s'échapper de	†donner sur
ordonner à	s'emparer de	entrer dans
pardonner à	s'ennuyer de	grimper sur
penser à	†jouer de	s'habiller en
permettre à	jouir de	prendre dans
plaire à	se méfier de	partir pour
renoncer à	se moquer de	†regarder sur
résister à	s'occuper de	tirer sur
ressembler à	†se passer de	
songer à	penser de	
†tenir à	remercier de	
	remplir de	
	se saisir de	
	†se servir de	
	sortir de	
	se souvenir de	
	†tenir de	
	†user de	

B. **The " taking away " constructions**—when something is taken away from somebody:

acheter   je **lui** achète son auto—J'ai acheté son auto **à** Paul

† Idiomatic use of the verb.

arracher	elle **lui** arrachait ses cheveux
cacher	il **nous** cachait ses devoirs—Il cachait ses devoirs **à** Paul
demander	je **leur** ai demandé le fauteuil
emporter	je **lui** ai emporté son fauteuil
enlever	je **lui** ai enlevé son fauteuil
mendier	je **lui** ai mendié deux sous
ôter	il **m'**a ôté ma casquette
prendre	il **m'**a pris ma casquette
saisir	il **m'**a saisi ma casquette
serrer	je **lui** ai serré la main
voler	nous **lui** avions volé son argent

C. To " ask " etc. someone to do something:

conseiller	il **m'**a conseillé DE ne pas parler
défendre	il **nous** a défendu DE sortir ce soir
demander	il **m'**a demandé DE fermer la porte
enseigner	j'ai enseigné **à Paul** A nager
faire signe	je **lui** ai fait signe DE fermer la porte
ordonner	il **nous** ordonne DE sortir
permettre	il **leur** a permis DE sortir ce soir
promettre	je **lui** ai promis DE ne pas chanter ce soir
refuser	il a refusé **à Paul** la permission DE sortir

N.B. *accuser*	je **l'**accuse D'avoir volé le livre
blâmer	je **le** blâme D'avoir volé le livre
empêcher	je **l'**empêche DE sortir
s'excuser	il **s'**excuse D'avoir volé le livre
persuader	je **l'**ai persuadé DE ne pas chanter
prier	je **l'**ai prié DE sortir
remercier	je **l'**ai remercié D'avoir trouvé le livre
soupçonner	je **le** soupçonne D'avoir volé le livre

EXERCICES :

I.   (1) Que se dit Monique en regardant son père pendant qu'il s'habillait?   (2) Descendue au port, où alla-t-elle s'asseoir?   (3) A quoi jouèrent les enfants?   (4) Que fit Monique avant de s'enfuir?   (5) Quel âge avait Monique?   Quel âge paraissait-elle avoir?   (6) Que fit Renaud avant de se coucher ce soir-là?   (7) Quelle nouvelle rapporta Yves Cornec?   (8) Que dit Jean-Louis le lendemain matin?   (9) Qui ramena le père Renaud à la maison?   (10) Où avait-on probablement emmené Monique?

II.   (1) A quoi pensait Monique le lendemain matin en se réveillant?   (2) Comment a-t-elle joué à sauter à la corde? Pourquoi?   (3) Comment prouva-t-elle à l'officier allemand que c'était bien elle qui avait coupé les fils téléphoniques?   (4) Le soir de l'arrestation de Monique comment le père Renaud a-t-il dormi?   (5) Quelle opinion les habitants de la petite ville de Tréguivy avaient-ils du père Renaud?   (6) Qu'est-ce qu'ils faisaient et pensaient maintenant?   (7) Comment le père Renaud a-t-il prouvé qu'il est un bon patriote?   (8) Les Allemands ont-ils été cruels envers Monique?   (9) Qui admirez-vous le plus dans cette histoire?   Pourquoi?   (10) D'après vous les Allemands avaient-ils tort ou avaient-ils raison de punir Monique?

III.   *Dictée:* " *Les Renaud attendirent Monique toute la soirée . . . Toute la nuit il fut agité de mauvais rêves* ".

IV.   *Traduire en anglais:* " *Il sortit agacé . . . L'auto était partie* ".

V.   *Write a short paragraph that makes sense and into which you introduce as many " peculiar " verb constructions as possible.*

VI.   *Traduisez en français* :

(1) She will do it herself.   (2) Even if he came I shouldn't
go there.   (3) She will go to Italy all the same.   You don't say!
(4) For how many days will you be in London?   (5) Even if
he saw me I should not speak to him.   (6) He was even speaking at midnight.   (7) Doubtless they will go there themselves.
(8) As far as she is concerned he is always wrong.   (9) He
stayed at home in order to do his homework.   (10) My father
will send me to Paris because I have worked well.   (11) He
bought two hundred francs' worth of sweets.   (12) We are
very unkind towards him.   (13) He went out to buy a newspaper and some stamps.   (14) Excuse me madame, how do I
buy a newspaper?   (15) What you need is to get up at the
very moment you awake.   (16) He hid from his friends the fact
that he was thinking of going to the seaside.   (17) We shook
hands and then we asked them to play the piano.   (18) I pro-
mised Paul not to go out without him.   (19) I begged her to
do it but she suspected me of having lied.   (20) I shall permit
her to sing if she doesn't stop me from singing myself.

VII.   *Traduire en français* :

Monique went and sat down on the seashore.   Then, when
her sisters approached her and asked her to play with them,
she did so.   When the children were exhausted she embraced
them and went to find the German officer.   He did not at first
believe her when she said that she herself had cut the tele-
phone wires but she showed him her arm.   He had to arrest
her.   She was put in a motor car and though her father was
there, and rushed forward, he was not allowed to speak to her.
Nobody has ever heard of her since.   But the village of Tréguivy, which had not a good opinion of Renaud, has not
forgotten and never will forget his daughter.

VIII.   *Vous êtes l'officier allemand.   Raconte*z *cette tragique et curieuse aventure.*

IX.   *Vous êtes une des sœurs de Monique et vous racontez à vos propres enfants l'histoire de cette Monique qui aurait été leur tante si elle avait vécu.*

X.   *Raconte*z *très simplement, et avec beaucoup de dialogue, une autre histoire de guerre que vous connaissez.*

EPILOGUE

Ma lettre va vous causer une grande peine, mais je vous ai vus si pleins de courage que vous voudrez bien encore le garder, ne serait-ce que par amour pour moi.

Vous ne pouvez pas savoir ce que, moralement, j'ai souffert dans ma cellule, ce que j'ai souffert de ne plus vous voir, de ne plus sentir sur moi votre sollicitude. Pendant ces quatre-vingt-sept jours de cellule, votre amour m'a manqué plus que vos colis et souvent je vous ai demandé de me pardonner le mal que je vous ai fait. Vous ne pouvez douter à quel point je vous aime aujourd'hui; car avant je vous aimais plutôt par routine. Maintenant je sens ce que vous avez fait pour moi et je crois être arrivé à l'amour filial véritable. Peut-être après la guerre, un camarade vous parlera-t-il de moi, de ce que je lui ai communiqué. J'espère qu'il ne faillira pas à cette mission, désormais sacrée.

Remerciez toutes les personnes qui se sont intéressées à moi. Dites-leur ma confiance en la France éternelle.

Je meurs pour ma patrie. Je veux une France libre et des Français heureux. Non pas une France orgueilleuse et première nation du monde, mais une France travailleuse et honnête. Que les Français soient heureux, voilà l'essentiel. Dans la vie il faut savoir cueillir le bonheur.

Pour moi, ne vous faites pas de souci. Je garderai mon courage et ma belle humeur jusqu'au bout et je chanterai *Sambre et Meuse* parce que c'est toi qui me l'as apprise, ma chère petite maman.

Les soldats viennent me chercher: je hâte le pas. Mon écriture est tremblée, mais c'est parce que je n'ai qu'un petit crayon.

Adieu, la mort m'appelle.   Je ne veux ni bandeau ni être attaché.   C'est dur quand-même de mourir.   Mille baisers. Vive la France!

Publiée par la Gazette de Lausanne,
1er décembre 1943.

TAIL-PIECE: A TIME-CHART

Century	Events	Famous Men
14TH	**Hundred Years' War** began. (1337) **French Peasants' Revolt** (*Jacquerie*) (1357) Growth of towns and trade— France gradually emerging from medieval feudalism.	**Etienne Marcel,** leader of Paris people against feudal nobility. **Bertrand du Guesclin,** Knight and adventurer.
15TH	**Hundred Years' War** ended (1453) with expulsion of English from France. **Monarchy** became more powerful and began campaigns of conquest in Italy	→ **Joan of Arc.** → *Louis XI (1461–1483)* → *Charles VIII (1483–1498)*
16TH	**The French Renaissance.** Rivalry between *Francis I* of France and the Emperor *Charles V* **Wars of Religion :** Catholics *v.* Huguenots ended by	**Jean Calvin** (religious reformer). → *Henry IV (1589–1610)*
17TH	France becomes a "Great Power" and the Court of **Versailles** the centre of European civilisation. **Many Wars :** French monarchy aiming to dominate all Western Europe	*Richelieu* ⎱ Statesmen who *Mazarin* ⎰ helped to make France united and strong. → **Louis XIV** *(1643–1715).*
18TH	"Balance of Power" wars : decline of French monarchy. Growing discontent, leading to **French Revolution** (1789)— "Liberty, Equality, Fraternity."	**Voltaire** ⎱ Writers who **Rousseau** ⎰ expressed the growing discontent. *Mirabeau* ⎱ Revolutionary *Danton* ⎰ leaders. *Robespierre*
19TH	**NAPOLEON BONAPARTE,** Emperor of France (1804), conquered Europe, but was defeated at Waterloo (1815) **More Revolutions:** 1830, 1848, 1871— **Franco-Prussian War** (1870–71) : France defeated and invaded by Germans **The Third Republic,** (1870 —— 1940)	*Napoleon I (1804–1815).* → *Louis Blanc* (socialist and revolutionary). → *Napoleon III,* Emperor *(1852–1870)*
20TH	**1914–1918 First World War :—** Germans invaded France again **1939–1945 Second World War :—** Germans occupied whole of France (1940)—development of Resistance Movement. 1945: Liberation of France by the Allies—republican government restored.	*Marshal Foch.* → *Georges Clemenceau.*

OF FRENCH HISTORY

RITERS OF INTEREST TO STUDY	CONTEMPORARY EVENTS IN ENGLAND
	Black Death, spread to England from Continent (1348–9). **Peasants' Revolt** (1381). Preaching of *John Wycliffe* against the abuses of the Church.
Charles d'Orléans (1391–1465). François Villon (1431–1463?).	**Henry V** at Agincourt, 1415. **Wars of the Roses.** **"New Monarchy"** in England, too. (*Henry VII*, 1485–1509).
François Rabelais (1490–1553). Ronsard (1524–1585). Du Bellay (1525–1560). Montaigne (1533–1592).	**The Tudors** (1485–1603). **The English Reformation.** The struggle between England and Spain under Q. Elizabeth (*Spanish Armada*), 1588.
Pierre Corneille (1606–1684). Paul Scarron (1610–1660). Molière (1622–1673). La Fontaine (1621–1695). Madame de Sévigné (1626–1696). Jean Racine (1639–1699).	**English Civil War** and Commonwealth (1642–1660). **"Glorious Revolution"** of 1688. (1685 Many French Huguenots, expelled by *Louis XIV*, settled in England.)
Voltaire (1694–1778). Rousseau (1712–1778). Beaumarchais (1732–1799). André Chénier (1762–1794).	Britain fought France for trade and colonies. **British Empire** developing. (*Wolfe* in Canada, *Clive* in India.) **INDUSTRIAL REVOLUTION** began.
Victor Hugo (1802–1885). Mérimée (1803–1870). Musset (1810–1857). Flaubert (1821–1880). Alphonse Daudet (1840–1897). Anatole France (1844–1924). Paul Verlaine (1844–1896). Maupassant (1850–1893). Francis Jammes (1868–1938). Apollinaire (1880–1918.)	Great progress in industry. Development of **Parliamentary Democracy** (Reform Acts, 1832–1928). **Queen Victoria** (1837–1901).
Georges Duhamel (*born* 1884) Jules Romains (*born* 1885) Alain Fournier (1886–1914). Louis Aragon (*born* 1897) Saint-Exupéry (1900–1944). Jacques Prévert (*born* 1900)	England played important part in World Wars I and II : **1914 British Expeditionary Force** to France. **1939 Second B.E.F.** on French soil (Dunkirk, 1940). **1944 British Liberation Army** landed in Normandy (Sept. 1944—Paris entered).

AVOIR

Infinitive.   avoir
Participles.   PRESENT: **ayant**   PAST: eu

Indicative

PRESENT	IMPERFECT	PAST HISTORIC
j'ai	j'avais: I had	j'eus: I had
	(= I used to have)	
tu as	tu avais	tu eus
il (elle, on) a	il (elle) avait	il (elle) eut
nous avons	nous avions	nous eûmes
vous avez	vous aviez	vous eûtes
ils (elles) ont	ils (elles) avaient	ils (elles) eurent

PERFECT	PLUPERFECT
j'ai eu	j'avais eu
tu as eu	tu avais eu
il a eu	il avait eu
nous avons eu	nous avions eu
vous avez eu	vous aviez eu
ils ont eu	ils avaient eu

FUTURE		CONDITIONAL	
j'aurai	nous aurons	j'aurais	nous aurions
tu auras	vous aurez	tu aurais	vous auriez
il aura	ils auront	il aurait	ils auraient

FUTURE PERFECT: j'aurai eu, &c.

CONDITIONAL PERFECT: j'aurais eu, &c.

204

Subjunctive

PRESENT	IMPERFECT	PERFECT
j'aie	j'eusse	j'aie eu
tu aies	tu eusses	tu aies eu, &c.
il ait	il eût	
nous ayons	nous eussions	PLUPERFECT
vous ayez	vous eussiez	j'eusse eu
ils aient	ils eussent	tu eusses eu, &c.

Imperative: aie, ayons, ayez
have, let us have, have

ÊTRE

Infinitive.   être
Participles. PRESENT: étant   PAST: été

Indicative

PRESENT	IMPERFECT	PAST HISTORIC
je suis	j'étais : I was	je fus (I was)
	(=I used to be)	
tu es	tu étais	tu fus
il (elle) est	il était	il fut
nous sommes	nous étions	nous fûmes
vous êtes	vous étiez	vous fûtes
ils (elles) sont	ils étaient	ils furent

PERFECT	PLUPERFECT
j'ai été	j'avais été
tu as été	tu avais été
il a été	il avait été
nous avons été	nous avions été
vous avez été	vous aviez été
ils ont été	ils avaient été

FUTURE		CONDITIONAL	
je serai	nous serons	je serais	nous serions
tu seras	vous serez	tu serais	vous seriez
il sera	ils seront	il serait	ils seraient

FUTURE PERFECT: j'aurai été, &c.

CONDITIONAL PERFECT: j'aurais été, &c.

Subjunctive

PRESENT	IMPERFECT	PERFECT
je sois	je fusse	j'aie été
tu sois	tu fusses	tu aies été
il soit	il fût	il ait été
nous soyons	nous fussions	nous ayons été
vous soyez	vous fussiez	vous ayez été
ils soient	ils fussent	ils aient été

PLUPERFECT: j'eusse été.

Imperative: sois, soyons, soyez
be, let us be, be

ALPHABETICAL VERB LIST

	PARTICIPLES	PRESENT TENSE	PAST HISTORIC	PRESENT SUBJUNCTIVE
aller: *to go* (j'irai)	allant allé	je vais, tu vas, il va n. allons, v. allez, ils vont	j'allai	j'aille, tu ailles, il aille n. allions, v. alliez, ils aillent
s'asseoir: *to sit down* (je m'assiérai)	s'asseyant assis	je m'assieds, tu t'assieds, il s'assied n. n. asseyons, v. v. asseyez, ils s'asseyent	je m'assis	je m'asseye, &c.
battre: *to beat*	battant battu	je bats, tu bats, il bat n. battons, &c.	je battis	je batte, &c.
boire: *to drink*	buvant bu	je bois, tu bois, il boit n. buvons, v. buvez, ils boivent	je bus	je boive . . . n. buvions . . . ils boivent
conduire: *to lead*	conduisant conduit	je conduis, tu conduis, il conduit n. conduisons, &c.	je conduisis	je conduise, &c.
connaître: *to know*	connaissant connu	je connais, tu connais, il connaît n. connaissons, &c.	je connus	je connaisse, &c.
coudre: *to sew*	cousant cousu	je couds, tu couds, il coud n. cousons, v. cousez, ils cousent	je cousis	je couse

	PARTICIPLES	PRESENT TENSE	PAST HISTORIC	PRESENT SUBJUNCTIVE
courir: *to run* (je courrai)	courant couru	je cours, tu cours, il court n. courons, &c.	je courus	je coure, &c.
couvrir: *to cover*	couvrant couvert	je couvre, tu couvres, il couvre n. couvrons, &c.	je couvris	je couvre, &c.
craindre: *to fear*	craignant craint	je crains, tu crains, il craint n. craignons, &c.	je craignis	je craigne, &c.
croire: *to believe, to think*	croyant cru	je crois, tu crois, il croit n. croyons, v. croyez, ils croient	je crus	je croie, &c. n. croyions, ils croient
cueillir: *to gather* (je cueillerai)	cueillant cueilli	je cueille, tu cueilles, &c.	je cueillis	je cueille, &c.
devoir: *to owe, to have to* (je devrai)	devant dû, due	je dois, tu dois, il doit n. devons, v. devez, ils doivent	je dus	je doive, &c. n. devions, ils doivent
dire: *to say,* **to tell**	disant dit	je dis, tu dis, il dit n. disons, **v. dites,** ils disent	je dis	je dise, &c.
écrire: *to write*	écrivant écrit	j'écris, tu écris, il écrit n. écrivons, &c.	j'écrivis	j'écrive, &c.
envoyer: *to send* (j'enverrai)	(regular, except in the future and conditional)			

	PARTICIPLES	PRESENT TENSE	PAST HISTORIC	PRESENT SUBJUNCTIVE
faire: *to make, to do* (je ferai)	faisant fait	je fais, tu fais, il fait n. faisons, **v. faites, ils font**	je fis	je fasse, &c.
falloir: *to be necessary* (il faudra)	fallu	il faut	il fallut	il faille
fuir: *to flee*	fuyant fui	je fuis, tu fuis, il fuit n. fuyons, v. fuyez, ils fuient	je fuis	je fuie, &c. n. fuyions, ils fuient
lire: *to read*	lisant lu	je lis, tu lis, il lit n. lisons, &c.	je lus	je lise, &c.
mettre: *to put*	mettant mis	je mets, tu mets, il met, n. mettons, v. mettez, ils mettent	je mis	je mette, &c.
mourir: *to die* (je mourrai)	mourant mort	je meurs, tu meurs, il meurt n. mourons, v. mourez, ils meurent	je mourus	je meure, &c. n. mourions, ils meurent
naître: *to be born*	naissant né	je nais, tu nais, il naît n. naissons, &c.	je naquis	je naisse, &c.
offrir: *to offer*	(like couvrir)			
ouvrir: *to open*	(„ couvrir)			
paraître: *to appear*	(„ connaître)			
plaire (a)	plaisant plu	je plais, tu plais, il plaît n. plaisons, &c.	je plus	je plaise, &c.
pleuvoir: *to rain* (il pleuvra)	pleuvant plu	il pleut	il plut	il pleuve

	PARTICIPLES	PRESENT TENSE	PAST HISTORIC	PRESENT SUBJUNCTIVE
pouvoir: *to be able* (je pourrai)	pouvant **pu: been able**	je **peux** (puis): *I can*, tu peux, je pus il peut n. pouvons, v. pouvez, ils peuvent	je pus	je puisse, &c.
prendre: *to take* 	prenant pris	je prends, tu prends, il prend, je pris n. prenons, v. prenez, ils prennent	je pris	je prenne, &c. n. prenions, ils prennent
rire: *to laugh* (de) (at)	riant ri	je ris, tu ris, il rit n. rions, &c.	je ris	je rie, &c. n. riions, v. riiez, ils rient
savoir: *to know* (je saurai)	**sachant** su	je sais, tu sais, il sait n. savons, &c.	je sus	je **sache**, &c.
souffrir: *to suffer* (like couvrir)				
suivre: *to follow*	suivant suivi	je suis, tu suis, il suit n. suivons, &c.	je suivis	je suive
tenir: *to hold* (je tiendrai)	tenant tenu	je tiens, tu tiens, il tient n. tenons, v. tenez, ils tiennent	je tins tu tins il tint ns. tînmes vs. tîntes ils tinrent	je tienne, &c. n. tenions, ils tiennent

	PARTICIPLES	PRESENT TENSE	PAST HISTORIC	PRESENT SUBJUNCTIVE
vaincre	vainquant vaincu	je vaincs, tu vaincs, il vainc n. vainquons, &c.	je vainquis	je vainque, &c.
valoir: *to be worth* (je vaudrai)	valant valu	je vaux, tu vaux, il vaut n. valons, &c.	je valus	je vaille, tu vailles, il vaille n. valions, v. valiez, ils vaillent
venir: *to come* (je viendrai)	(like 'tenir', but compound tenses with être)			
vivre: *to be alive*	vivant vécu	je vis, tu vis, il vit n. vivons, &c.	je vécus	je vive, &c.
voir: *to see* (je verrai)	voyant vu	je vois, tu vois, il voit n. voyons, v. voyez, ils voient	je vis	je voie, &c. n. voyions, ils voient
vouloir: *to want* (je voudrai)	voulant voulu	je veux, tu veux, il veut n. voulons, v. voulez, ils veulent	je voulus	je veuille, &c. n. voulions v. vouliez ils veuillent

FRENCH-ENGLISH VOCABULARY

(s')abattre, to fall
abîmé, ruined, spoiled
(d')abord, at first
aboyer, to bark
accompli, accomplished
accourir, to run up
achever, to finish
adroit, clever
(s')affaisser, to sink, subside
affiche (f), notice
affligé, afflicted
affolé, distraught
affluent (m), tributary
(s')affronter, to come face to
    face with
affreux, frightful
agir, to act, do
alentour, round about
allonger, to lengthen
allumette (f), match
allure (f), gait
alors, then
âme (f), soul
ami (m), friend
amour (m), love
anéanti, destroyed
ange (m), angel
angoisse (f), anguish
annonce (f), announcement
appel (m), call, cry
apprendre, to learn
après, after
(s')appuyer, to lean

arbre (m), tree
argent (m), silver, money
armoire (f), cupboard
armure (f), armour
arracher, to snatch, seize
(en) arrière, backwards
arroser, to water
assez, enough
assiette (f), plate
(s')assoupir, to grow drowsy,
    sleepy
âtre (m), hearth
attendre, to wait for
atténué, weakened, toned
    down
attirer, to attract
attraper, to catch, reach
auberge (f), inn
audacieux, bold
aujourd'hui, today
aumône (f), alms, favour
aune (f), ell
aussi, also
aussitôt, immediately, forth-
    with
autant (que), as much as
avaler, to swallow
avant (de), before
avertir, to warn
aveugle, blind
avion (m), aeroplane
avis (m), opinion

bague (f), ring
bâiller, to yawn
baiser, to kiss
baisser, to lower
balcon (m), balcony
ballon (m), football
banc (m), bench, wooden seat
banlieue (f), suburbs, outskirts
bas (m), stocking
(en) bas, down there
batailler, to give battle
bateau (m), boat
bâtir, to build
battue (faire une), to scour the
countryside
beau, fine, beautiful
beaucoup, much, a lot
bergère (f), shepherdess
besogne (f), work, labour
besoin (m), need
bête (adj.), stupid, foolish
(subs. f), beast
beurre (m), butter
bien, well
bien entendu, of course
bienfaisant, kind
bienfaiteur (m), benefactor
bientôt, soon
bille (f), marble (for games)
billet (m), ticket
blaguer, to chaff, joke
blâmer, to blame
blesser, to wound
blotti, hidden
bœuf (m), ox, beef
boire, to drink
bois (m), wood
boisson (f), drink
boiter, to limp
bonbon (m), sweet
bond (m), leap, bound

bonheur (m), happiness
bonne (f), maidservant
bord (m), edge
botté, booted
bottine (f), boot
bouche (f), mouth
bouder, to sulk
bouffer (slang), to guzzle
bouger, to budge
bougonner, to grumble
boulanger (m), baker
bouleversé, overwhelmed
bouquin (m), book
bourdonnement (m), buzzing,
humming
bourrade (f), blow, thrust,
buffet
bout (m), end, bit, fragment
bouteille (f), bottle
boutique (f), shop
bras (m), arm
bredouillement (m), stutter-
ing, spluttering
briller, to shine
briser, to break
brouillard (m), fog
brouillamini (m), confusion,
disorder
broussailles (f. pl.), brush-
wood, brambles
bruire, to make a noise
bruit (m), noise
brûler, to burn
buffet (m), sideboard, buffet
but (m), aim, end, goal
buveur (m), drinker

ça y est !, that's it ! that's done
it !
cabaretière (f), female inn-
keeper

cacher, to hide
cachette (f), hiding place
cadavre (m), corpse
cagneux, knock-kneed
campagne (f), country(side)
calcul (m), arithmetic
cartable (m), satchel
carton (m), cardboard
casqué, helmeted
casquette (f), cap
casser, to break
céder, to yield, to cede
cellule (f), cell
cependant, however
cerise (f), cherry
cerveau (m), brain, mind
chacun, each (one)
chair (f), flesh
chaise (f), chair
chambre (f), (bed)room
champ (m), field
chandelle (f), candle
chanson (f), song
chantonner, to hum
chapeau (m), hat
chapelet (m), rosary
chaque, each
charpie (f), lint
charretier (m), carter, driver, wagoner
chasser, to chase, hunt
chat (m), cat
châtaignier (m), chestnut tree
château (m), castle
chatouillement (m), tickling
chatouiller, to tickle
chaud, hot
chauffage (m), heating, warming
chausser, to put (shoes etc.) on
chaussure (f), footwear

chauve, bald
chaux (f), lime
chemin (m), path, way
cheminée (f), chimney
chemise (f), shirt
cher, dear
chéri, dear, darling
chevelu, hairy
cheville (f), ankle
chien (m), dog
chiffre (m), figure, number
chiquer, to chew tobacco
choir, to fall
choisir, to choose
chose (f), thing
chuchoter, to whisper
ciel (m), sky, heaven
cirage (m), waxing, polish
circuler, to revolve, circulate
cirer, to wax, polish
ciseaux (m. pl.), scissors
clarté (f), light, brightness, splendour
clef (f), key
cligner (de l'œil), to wink
clopiner, to limp
clou (m), nail
cœur (m), heart
coin (m), corner
colère (f), anger
colis (m), parcel, packet
colline (f), hill
comblé, overwhelmed
comme, as, like
commencer, to begin
(se) comporter, to behave (oneself)
comprendre, to understand
compter, to count
concevoir, to conceive

concours (m), competition, examination
conduire, to lead
confiture (f), jam
confondre, to confound
conseil (m), advice, opinion
contre, against
contrebandier (m), smuggler
convenable, suitable, fit
coquille (f), shell
cor (m), horn, hunting-horn
corbeille (f), basket
corne (f), horn
corps (m), body
côté (m), side
côte (f), side, coast
cou (m), neck
(se) coucher, to go to bed
coucher (m), setting (of sun)
coude (m), elbow
couler, to flow, run
coup (m), blow
couper, to cut
cour (f), court
courant, current, present
(se) courber, to bend, stoop
courtisan (m), courtier
couteau (m), knife
coûter, to cost
coutume (f), custom
couver, to hatch
couverture (f), covering
cracher, to spit
craie (f), chalk
craindre, to fear
cravate (f), tie
crayeux, chalky
crédule, credulous
creux, hollow
creuser, to dig
crever, to burst

P

cribler, to riddle, pierce
crier, to shout
croire, to believe
croiser, to cross, fold
croix (f), cross
croquer, to crunch, eat
cruche (f), jug, pitcher
cueillir, to gather
cuir (m), leather
cuisine (f), kitchen
cuisinier (m), cook
cuisse (f), thigh

davantage (adv), more
(se) débarrasser de, to get rid of
(se) débrouiller, to get out of difficulties
début (m), beginning
déchirer, to tear
décimer, to decimate
décontenancer, to put out of countenance
découverte (f), discovery
dédaigner, to disdain
défaite (f), defeat
défectueux, defective
défense de . . . , it is forbidden to
défiance (f), mistrust
(en) dehors, outside
déjà, already
demain, tomorrow
démangeaison (f), itching
démarche (f), measure, step, gait
démesuré, excessive
demeurer, to dwell
(se) démonter, to lose countenance, capable of being taken to pieces

démontrer, to show, demonstrate
dent (f), tooth
dentelle (f), lace
déposer, to put down
dernier, last
dès, from, since, as early as
désabuser, to undeceive, disabuse
désigner, to indicate
dessécher, to dry up
devenir, to become
diable (m), devil
difforme, shapeless
dimanche, Sunday
discourir, to discourse
disparaître, to disappear
distrait, absent-minded
doigt (m), finger
dormir, to sleep
dos (m), back
douillet, delicate, tender
douleur (f), pain
douloureux, painful
doux, soft, gentle
drap (m), sheet, cloth
dresser (l'oreille), to prick up one's ears
droit (m), right
(à) droite, on the right
duvet (m), down

eau (f), water
écarter, to set aside, put aside
éclat (m), burst
éclatant, shining, noisy
écouter, to listen to
(s')écrier, to shout, exclaim
écriture (f), writing
effarouché, scared
effectivement, indeed, in effect

(en) effet, in effect
efficace, efficacious
égal (ça m'est bien), it's all the same to me
élève (m or f), pupil
(s')élever, to rise
emmener, to take away
emplir, to fill
emporter, to take (carry) away
(s')empresser, to be eager, to hasten
ému, moved, touched
encore, again, still, yet
encre (f), ink
(s')endormir, to fall asleep
endroit (m), place
enfant (m), child
enfermer, to shut up
enfler, to swell
enfoncer, to dig in
engendrer, to induce
(s')ennuyer, to bore, get bored
enragé, mad, enraged
enseigne (f), sign
enseigner, to teach
ensemble, together
ensuite, next (adverb)
entendre, to hear
enterrement (m), funeral, burial
enterrer, to bury
entre, between
envahir, to invade
envers, towards
épars, scattered
épaule (f), shoulder
éperdu, bewildered
épigastre (m), pit of the stomach
épinette (f), spinet
escalier (m), staircase

espace (f), space
espèce (f), kind
espérer, to hope
espiègle (m), a roguish person
espoir (m), hope
essayer de, to try to
(s')essuyer, to wipe oneself
estropié, lame
étage (m), floor, storey
étendre, to lengthen
étêté, with lopped off head
étonnement (m), astonishment
étouffer, to suffocate
étranger (adj.) strange, foreign
        (subs.) foreigner
être (m), being
étude (f), study
étudier, to study
exemplaire, exemplary
expérience (f), experiment
explication (f), explanation
expliquer, to explain
exprimer, to express

(se) fâcher, to get angry
(de) façon à, so as to
faillir, to fail
faim (f), hunger
fainéant (m), idler, loafer
falaise (f), cliff
faute (f), fault
fauteuil (m), armchair
félicité (f), bliss, happiness
fendre, to split
fenetre (f), window
fente (f), split
fermier (m), farmer
feuille (f), leaf
fiacre (m), cab
fil (m), thread
fin (f), end

fleur (f), flower
fleuve (m), river
flocon (m), flake
fois (f), time
fonder, to found
fondre, to melt
force (adj.), many
fort, strong
fosse (f), grave
fou (folle), mad
foudre (f), thunder and light-
    ning
fouiller, to excavate, rum-
    mage, pry, search
foule (f), crowd
four (m), oven
fraîcheur (f), freshness
frais (fraîche), fresh
fraise (f), strawberry
franc, frank
frayeur (f), fright, terror
frêle, fragile, weak
froid, cold
frôler, to graze, touch lightly
fromage (m), cheese
froncer, to contract, wrinkle
front (m), forehead
frotter, to rub
fuir, to flee
fuite (f), flight
fumer, to smoke
funèbre, funereal
fusil (m), gun
fusiller, to shoot

garçon (m), boy, waiter
garder, to keep
gardez-vous-en bien, take care
    not to do it
gare (f), station
garnir, to garnish, furnish

gars (m), fellow, lad
(à) gauche, on the left
gémir, to groan
gêner, to trouble, inconvenience
genou (m), knee
gentiment, nicely, prettily
gilet (m), waistcoat
giser, to lie (in death)
glace (f), mirror, ice-cream
glousser, to cluck (of hens)
gonfler, to swell
gorge (f), throat
gosse (m), youngster, kid
goût (m), taste, liking
goûter, to taste
goutte (f), drop
grâce (f), pardon
grandir, to grow
(se) gratter, to scratch oneself
grattouiller, to scratch, irritate
gratuit, free
grêle (f), hail
grève (f), seashore
grignoter, to nibble, gnaw
grincer, to gnash, grate
(se) griser, to get drunk
grogner, to grunt, grumble
gronder, to scold, grumble
gros, huge
guérir, to cure
gueuler, to bawl, clamour
guerre (f), war
guetter, to watch
guetteur (m), watcher, observer

habile, clever
habillé en, dressed in
habitude (comme d'), as usual
haine (f), hatred

haïr, to hate
haletant, breathless
hanche (f), hip, haunch
hanneton (m), cockchafer
hanter, to haunt
hausser (les épaules), to shrug one's shoulders
haut, high
hérissé, bristling
heure (tout à l'), presently, just now
hirondelle (f), swallow
histoire (f), story
homard (m), lobster
honte (avoir), to be ashamed
hôtesse (f), hostess
huée (f), shouting, whooping

ici, here
immobile, motionless
impudeur (f), immodesty, indecency
inconnu, unknown
indicible, unspeakable, unutterable
indiquer, to indicate
inhabituel, unusual
inquiet, uneasy, anxious
inquiétude (f), anxiety, uneasiness
inoubliable, unforgettable
instruit, learned
intime, intimate
inusité, unusual, not used
inutile, useless
ivrogne (m), drunkard

jabot (m), crop, maw (of a bird)
jambage (m), jamb (of a door)
jambe (f), leg

jardin (m), garden
jaune, yellow
jeune, young
jeunesse (f), youth
joli, pretty
jouer, to play
jouet (m), toy, plaything
jouir de, to enjoy
jour (m), day
journal (m), diary
journée (f), the day long
jupe (f), skirt
jurer, to swear
jusqu'à, up to

là, there
lâcher, to let go
laid, ugly
laideur (f), ugliness
laisser, to allow, let
lait (m), milk
lancer, to throw
langue (f), tongue
languette (f), slice
lard (m), bacon
larme (f), tear
las, weary
laver, to wash
lecture (f), reading
lendemain (m), next day
lentement, slowly
lever (m), rising (of the sun)
lèvre (f), lip
libre, free
lieu (m), place
lilas (m), lilac
linge (m), linen
lit (m), bed
logis (m), dwelling
loin (de), from afar
lointain, distant

longtemps, a long time
lors de, at the time of
louer, to let, hire out, to praise
lourd, heavy
luire, to shine
lune (f), moon
lunettes (f. pl.), spectacles

mâchoire (f), jaw
maigre, thin, lean
main (f), hand
maintenant, now
mais, but
maison (f), house
mal (faire . . . à), to harm
malade, ill
maladie (f), illness
malin (m), rogue
manche (f), sleeve, English Channel
manchot, one-handed, one-armed
manger, to eat
manie (f), mania, whim
manquer, to miss, lack
manteau (m), cloak
mantille (f), mantilla
mari (m), husband
matin (m), morning
mauvais, bad
méchant, wicked, naughty
méditer, to meditate, consider
ménagère (f), housewife
mensonge (m), lie
messe (f), mass
mentir, to tell a lie
métier (m), trade, calling, occupation
mettre, to put (on), place
meubles (m. pl.), furniture
meurtri, bruised

meurtrier (m), murderer
mine (f), face, countenance
(à) mi-voix, in a low voice
mode (à la), in fashion
moins que, less than
mois (m), month
moitié (f), half
monde (m), world
monter, to climb
montrer, to show
(se) moquer de, to laugh at
morceau (m), bit, piece, fragment
mordre, to bite
mort (f), death
mot (m), word
mouche (f), fly
mouchoir (m), handkerchief
moue (faire la), to pout
mouillé, wet
mousse (f), moss
moutarde (f), mustard
moyen (m), means
mur (m), wall
muraille (f), thick, high wall
muser, to moon, loiter, dawdle

nager, to swim
nageur, (m), swimmer
naguère, recently
naître, to be born
nappe (f), cloth
natation (f), swimming
neige (f), snow
net (tout), quite shortly
neuf, new
nez (m), nose
nid (m), nest
noirci, blackened
notaire (m), notary, solicitor
nouveau, new

nouvelles (f. pl.), news
nuage (m), cloud
nuance (f), shade, hue
nuisible, harmful

obole (f), farthing, mite
œuf (m), egg
oie (f), goose
ombre (f), shadow, shade
opiniâtre, stubborn, obstinate
or (conj.), now
or (m), gold
ordonner, to order
oreille (f), ear
orgueilleux, proud, haughty
orienté, set towards
orthographe (f), spelling
oser, to dare
ôter, to take off
oublier, to forget
ouvrir, to open

paille (f), straw
pain (m), bread
palefroi (m), palfrey
panier (m), basket
panser, to dress (a wound)
pantalon (m), trousers
pantoufle (f), slipper
paon (m), peacock
par, through, by
paraître, to appear
parce que, because
pareil, like, similar
paresse (f), laziness
paresseux, lazy
parole (f), word
part (f), share
partager, to share
partout, everywhere
parvenir à, to succeed in

paupière (f), eyelid
pauvre, poor
paysan (m), peasant
peau (f), skin
pêcher, to fish
pêcher (m), peach tree
peine (f), trouble, difficulty
pelouse (f), lawn
pencher, to lean
pendant, during
pendre, to hang
péniblement, painfully
penser, to think
pensum (m), imposition
perdre, to lose
pesanteur (f), heaviness
petit, small, little
peu (m), little
peupler, to people
peuplier (m), poplar tree
peut-être, perhaps
pharmacien (m), chemist
pièce (f), room, piece, play
pied (m), foot
piquer, to prick, sting, goad
pierre (f), stone
plafond (m), ceiling
plaie (f), wound
plaire, to please
plaisir (m), pleasure
planche (f), shelf, plank
planer, to hover
pleinement, fully
pleurer, to weep
plomb (m), lead
plonger, to plunge
pluie (f), rain
plume (f), feather, pen
plumer, to pluck, plume
plusieurs, several
plutôt, rather

poche (f), pocket
poing (m), fist
poignet (m), wrist
poire (f), pear
poitrine (f), chest
pomme (f), apple
poser, to place, ask (a question)
potage (m), soup
pouce (m), thumb
poule (f), hen
poulie (f), pulley
poumons (m. pl.), lungs
poursuivre, to pursue, go on
pourtant, however
pourvu que, provided that
poussière (f), dust
poussin (m), chicken
prairie (f), meadow
(se) précipiter, to rush
premier (m), first floor
prendre, to take
près de, near to
presque, nearly
prêt, ready
prévenir, to warn
prévisible, predictable
prochain, next
profond, deep
proie (f), prey
promenade (f), walk
promettre, to promise
proprement, properly, cleanly
propriété (f), property
proviseur (m), head master
puits (m), well
punition (f), punishment

quand, when
quand-même, even, although
quant à, as for

quelque (adj.), some
quoique, although

raconter, to tell (a story)
rafale (f), squall
raison (avoir), to be right
raisonnablement, reasonably
ramage (m), warbling, chirping
ramasser, to pick up
ramener, to bring back
rampe (f), rail, balustrade
rasé, clean-shaven
rattraper, to catch up again
rayon (m), ray, beam
ravaler, to swallow again
rébarbatif, surly, grim
recherche (f), research
réclame (f), advertisement
recommander, to recommend, charge
reconduire, to show out
reconnaître, to recognise
recueil (m), collection, selection
(se) redresser, to straighten oneself
réfléchir, to reflect
régaler, to treat, regale, feast
regard (m), look
regarder, to look at
régime (m), diet, system
remède (m), remedy
remercier, to thank
remercîment (m), thanks
remplir, to fill
remuer, to move, stir
rencontrer, to meet
rendre, to give back, surrender
renseigner, to inform

renverser, to upset
repas (m), meal
repérer, to locate, find
respirer, to breathe
retour (m), return, coming back
réussir à, to succeed in
(se) réveiller, to wake up
rêve (m), dream
rêver, to dream
rideau (m), curtain
rire, to laugh
robe (de chambre) (f), dressing gown
roi (m), king
rôle (à tour de), in one's turn
roman (m), novel, story
rompre, to break
ronger, to gnaw
rougir, to blush, redden
rouiller, to make rusty
ruban (m), ribbon
ruche (f), hive
rue (f), street, road
(se) ruer sur, to rush upon
rumeur (f), uproar, clamour, report

sage, good, wise
salle (f), room
salon (m), drawing room
sang (m), blood
sanglant, bleeding
sans que, without
santé (f), health
saoul, drunk
sauf, safe, except
sauter, to jump
sauver, to save
sauveteur (m), saviour

savant (m), scholar, learned person
seau (m), bucket
secouer, to shake
secours (m), help
sembler, to seem
sentir, to feel, smell
serre (f), greenhouse
serrer (la main), to shake hands
seul, alone
sève (f), sap
si, if, yes (when " no " is expected)
siècle (m), century
siffler, to whistle
sifflet (m), whistle
sinon, if not, except
sœur (f), sister
soie (f), silk
soif (avoir), to be thirsty
soigner, to care for
soin (m), care
soir (m), evening
sol (m), ground
soleil (m), sun
sombre, dull, gloomy
songer, to think, dream
songeur, dreamy, thoughtful
sort (m), fate, lot, destiny
sortir, to go out
soucieux, anxious
souffrir, to suffer
souhaiter, to wish (for)
soûl (tout mon), my fill
soulagé, relieved
soulier (m), shoe
soupirer, to sigh
sourcil (m), eyebrow
sourd, deaf
sourire, to smile

sous, under
souvent, often
spirituel, gay, witty
squelette (m), skeleton
stupéfait, bewildered, stupified
sucre (m), sugar
suer, to sweat
suite (f), following
(tout de) suite, at once
suppléer, to fill up, make up
suranné, out of date, antiquated
surtout, especially

tablier (m), apron
tableau (noir) (m), blackboard
taille (f), size, shape
(se) taire, to be quiet, shut up
talus (m), bank, slope
tambour (m), drum
tant que, as much as
tante (f), aunt
taper sur, to hit, slap
taquiner, to tease
tard, late
tasse (f), cup
teint (m), complexion
tellement, to such an extent
tenir, to hold
tenter, to attempt
terni, dull
terre (f), earth, ground
tête (f), head
thé (m), tea
tiédeur (f), warmth
tilleul (m), lime tree
tintamarre (m), hubbub, uproar
tirer, to draw, take out
toit (m), roof

tomber, to fall
tonnerre (m), thunder
tordu, twisted
tort (avoir), to be wrong
tôt, soon
toujours, always
tourbillon (m), whirlwind
toupie (f), top
tour (m), turn
    (f), tower
tousser, to cough
tout à fait, quite
tout de suite, at once
traduire, to translate
tranquillement, quietly, calmly
travail (m), work
traverser, to cross
trempé, wet
trépigner, to stamp one's foot
très, very
tricoter, to knit
trimestre (m), term
triste, sad
tromper, to deceive
trop, too (much)
tuer, to kill
(à) tue-tête, at the top of one's voice
tuyauter, to give tips (advice)

unique, sole, single
user, to wear out

vacarme (m), uproar, noise
vaincu, beaten, conquered
vainqueur (m), conqueror, victor
valoir, to be worth
valser, to waltz
(se) vautrer, to wallow, sprawl

veau (m), calf
veille (f), eve
vendre, to sell
vent (m), wind
ver à soie (m), silk worm
verdure (f), greenness
vergogne (f), shame
verre (m), glass
vers (m), line of poetry
vers (prep.), towards
vert, green
vertige (m), dizziness, vertigo
veste (f), jacket
vêtements (m. pl.), clothing
vêtu en, clothed in
vibrer, to vibrate
vide, empty
vie (f), life
vieillir, to grow old
vierge (f), virgin
vieux, old
vilain (m), rascal, blackguard
ville (f), town
vin (m), wine
vinaigrette (à la), pickled
visage (m), face
visière (f), peak (of cap)
vivant, living, alive
vivre, to live
voilà, there is, there are
voisin (m), neighbour
    (adj.), neighbouring
voiture (f), carriage
vol (m), theft
voler, to steal
voleur (m), thief
volontiers, willingly
vrai, true

yeux (m. pl.), eyes

ENGLISH–FRENCH VOCABULARY

N.B. Only the " key " words are printed in this vocabulary. All English–French translation exercises are modelled very closely on the French passage set for intensive study, and it is in that passage that the correct construction to be employed and the correct idiomatic use of a word will be found.

a, an, un, une
able (to be), pouvoir
according to, selon
aeroplane, avion (m)
after, après
all, tout, tous, toute, toutes
alone, seul
along, le long de
already, déjà
also, aussi
always, toujours
and, et
anything, n'importe quoi
apple, pomme (f)
arm, bras (m)
armchair, fauteuil (m)
as, comme
(to) awake, (se) réveiller

back-ache, mal (m), au dos
bad, mauvais
badly, mal
bald, chauve
basket, panier (m), corbeille (f)
(to) become, devenir
bed, lit (m)
beer, bière (f)
(to) believe, croire

Belgium, la Belgique
benefactor, bienfaiteur (m)
besides, d'ailleurs
between, entre
blindly, aveuglément
(to) boil, (faire) bouillir
book, livre (m)
(to) bore, (s')ennuyer
bottle, bouteille (f)
bread, pain (m)
(to) burst out laughing, éclater de rire
(to) bury, enterrer
bus, autobus (m)
but, mais
butter, beurre (m)

cap, casquette (f)
(to) carry on, continuer
cat, chat (m)
cauliflower, chou-fleur (m)
Channel, la Manche
cherry, cerise (f)
chocolate, chocolat (m)
(to) choose, choisir
cinema, cinéma (m)
(to) close, fermer
(to) come, venir
(to) come in, entrer

corner, coin (m)
could, (use pouvoir/savoir)

(to) dare, oser
daughter, fille (f)
day before, veille (f)
(next) day, lendemain (m)
(to) decide, décider
decision, décision (f)
detective novel, roman policier (m)
(to) die, mourir
dining-room, salle à manger (f)
doctor, médecin (m)
dog, chien (m)
door, porte (f)
(to) draw (a sheet), remonter son drap
(to) drink, boire

early, tôt
(to) eat, manger
evening, soir (m)
examination, concours (m)
example, exemple (m)
exciting, passionnant
experiment, expérience (f)

(to) fail, manquer à
faithfully, fidèlement
(to) fall, tomber
fat, gros
fault (whose), à qui la faute?
(to) find, trouver
first floor, premier étage
first-rate, par excellence
forehead, front (m)
(to) forget, oublier
Frenchman, le Français
friend, ami (m), amie (f)

generous, généreux
German, un Allemand
girl, fille, fillette (f)
(to) give, donner
glass, verre (m)
gloomy, funèbre
(to) go, aller
      out, sortir
      up, monter
go (at one), d'un seul coup
good, bon

hair, cheveux (m. pl.)
half, moitié (f)
hand, main (f)
hat, chapeau (m)
(to) have, avoir
head, tête (f)
head-ache, mal à la tête
here is, voici
(to) hide, cacher
(to) hold, tenir
homework, devoir (m)
however, pourtant
(to) hug, sauter au cou à
hungry (to be), avoir faim
(to) hurt, faire mal à

ice-cream, glace (f)
ill, malade
important, important
indeed, en effet, vraiment
instead of, au lieu de
interesting, intéressant

(to) kill, tuer
king, roi (m)
(to) know, savoir (things)
      connaître (persons)

last, dernier
(to) laugh, rire
lazy, paresseux
(to) lead, mener, conduire
(to) learn, apprendre
(to) leave, partir
(to) lie, mentir
life, vie (f)
(to) limp, boiter
little, petit
long (a long time), longtemps
(to) lose, perdre

mad, fou
(to be) mad about, en radoter
many, beaucoup (de)
mark, note (f)
matter (what is the), qu'avez-vous?
meat, viande (f)
midnight, minuit
Mondays (on), le lundi
money, argent (m)
(to) mop (one's brow), s'essuyer le front
more, davantage
(no) more no less, ni plus ni moins
morning, matin (m)
mother, maman (f)
must, devoir (idiom)

name, nom (m)
necessary (it is), il faut que
neither, ne . . . ni . . . ni
never, ne . . . jamais
next day, lendemain (m)
night, nuit (f)
nobody, personne ne . . .
no longer, ne . . . plus
no more, ne . . . plus

nose, nez (m)
not, ne . . . pas
notebook, carnet (m)
notice, affiche (f)
nothing, ne . . . rien
now, maintenant

often, souvent
(to) offer, offrir
(at) once, tout de suite
only, seulement, au moins
(to) owe, devoir

park, parc (m)
patiently, patiemment
pencil, crayon (m)
(to) place, poser
(to) play, jouer
poor, pauvre
potato, pomme de terre (f)
pound, livre (f)
prepared, prêt, préparé
pretty, joli
(to) prick up one's ears, dresser l'oreille
(to) punish, punir
(to) put, mettre

railway station, gare (f)
(to) read, lire
(to) recognise, reconnaître
red, rouge
(to) reply, répondre
right (on the), à droite
(to be), avoir raison
ring, bague (f)
road, route (f)
room, chambre (f)
(to) run (across), traverser (en courant)
(to) rush up, accourir

sad, triste
same (all the), tout de même
(to) say, dire
scholar, savant (m)
        écolier=schoolboy
school, école (f)
seashore, grève (f)
seaside, bord (m), de la mer
(to) see, voir
(to) seem, sembler
(to) share, partager
share, part (f)
sheet, drap (m)
(to) show, montrer
(to) shut, fermer
side (on one), d'un côté
(to) sing, chanter
sir, monsieur
sister, sœur (f)
(to) sit down, s'asseoir
slowly, lentement
so, ainsi
soldier, soldat (m)
something (good), quelque
  chose de bon
song, chanson (f)
soon, bientôt
sound, son (m)
(to) speak, parler
(to) spend, dépenser
(to) steal, voler
stairs, escalier (m)
(to) stay, rester
(to) stop, arrêter
stop, arrêt (m)
straw, paille (f)
(to) succeed in, réussir à
sundown, coucher (m) du
  soleil
sunrise, lever (m) du soleil
(to) swallow, avaler

(to) swim, nager
  swim across, traverser en
    nageant

(to) take, prendre
(to) talk, parler
tea, thé (m)
tea-cup, tasse (f) à thé
(to) tell, dire
temperature, température
then, puis, alors
there, là
thing, chose (f)
(to) think, penser, songer
thunderstruck, saisi
Thursday, jeudi
tiger, tigre (m)
time, fois (f)
tomorrow, demain
tonight, ce soir
too, trop
tooth, dent (f)
tower, tour (f)
town, ville (f)
town-crier, tambour (m) de
  ville
(to) try, essayer
turn, tour (m)
twice running, deux fois de
  suite

underneath, sous
until, jusqu'à
(as) usual, comme toujours

very, très
(to) visit, visiter, rendre visite
  à

(to) wait (for), attendre
(to) walk, se promener